McDougal Littell

¡Avancemos!

Table of Contents

To the Teacher

Welcome to *¡Avancemos!* This exciting new Spanish program from McDougal Littell has been designed to provide you—the teacher of today's foreign language classroom—with comprehensive pedagogical support.

PRACTICE WITH A PURPOSE

Activities throughout the program begin by establishing clear goals. Look for the **¡Avanza!** arrow that uses student-friendly language to lead the way towards achievable goals. Built-in self-checks in the student text (**Para y piensa:** Did you get it?) offer the chance to assess student progress throughout the lesson. Both the student text and the workbooks offer abundant leveled practice to match varied student needs.

CULTURE AS A CORNERSTONE

¡Avancemos! celebrates the cultural diversity of the Spanish-speaking world by motivating students to think about similarities and contrasts among different Spanish-speaking cultures. Essential questions encourage thoughtful discussion and comparison between different cultures.

LANGUAGE LEARNING THAT LASTS

The program presents topics in manageable chunks that students will be able to retain and recall. "Recycle" topics are presented frequently so students don't forget material from previous lessons. Previously learned content is built upon and reinforced across the different levels of the program.

TIME-SAVING TEACHER TOOLS

Simplify your planning with McDougal Littell's exclusive teacher resources: the all-inclusive EasyPlanner DVD-ROM, ready-made Power Presentations, and the McDougal Littell Assessment System.

Unit Resource Book

Each Unit Resource Book supports a unit of *¡Avancemos!* The Unit Resource Books provide a wide variety of materials to support, practice, and expand on the material in the *¡Avancemos!* student text.

Components **Following is a list of components included in each Unit Resource Book:**

BACK TO SCHOOL RESOURCES (UNIT 1 ONLY)

Review and start-up activities to support the **Lección preliminar** of the textbook.

DID YOU GET IT? RETEACHING & PRACTICE COPYMASTERS

 If students' performance on the **Para y piensa** self-check for a section does not meet your expectations, consider assigning the corresponding Did You Get It? Reteaching and Practice Copymasters. These copymasters provide extensive reteaching and additional practice for every vocabulary and grammar presentation section in *¡Avancemos!* Each vocabulary and grammar section has a corresponding three-page copymaster. The first page of the copymaster reteaches the subject material in a fresh manner. Immediately following this presentation page are two pages of practice exercises that help the student master the topic. The practice pages have engaging contexts and structures to retain students' attention.

PRACTICE GAMES

These games provide fun practice of the vocabulary and grammar just taught. They are targeted in scope so that each game practices a specific area of the **lesson**: *Práctica de vocabulario, Vocabulario en contexto, Práctica de gramática, Gramática en contexto, Todo junto, Repaso de la lección*, and the lesson's cultural information.

Video and audio resources

VIDEO ACTIVITIES

These two-page copymasters accompany the Vocabulary Video and each scene of the **Telehistoria** in Levels 1 and 2 and the **Gran desafío** in Level 3. The pre-viewing activity asks students to activate prior knowledge about a theme or subject related to the scene they will watch. The viewing activity is a simple activity for students to complete as they watch the video. The post-viewing activity gives students the opportunity to demonstrate comprehension of the video episode.

VIDEO SCRIPTS

This section provides the scripts of each video feature in the unit.

AUDIO SCRIPTS

This section contains scripts for all presentations and activities that have accompanying audio in the student text as well as in the two workbooks (*Cuaderno: práctica por niveles* and *Cuaderno para hispanohablantes*) and the assessment program.

Culture resources

MAP/CULTURE ACTIVITIES

This section contains a copymaster with geography and culture activities based on the Unit Opener in the textbook.

FINE ART ACTIVITIES

The fine art activities in every lesson ask students to analyze pieces of art that have been selected as representative of the unit location country. These copymasters can be used in conjunction with the full-color fine art transparencies in the Unit Transparency Book.

Home-school connection

FAMILY LETTERS & FAMILY INVOLVEMENT ACTIVITIES

This section is designed to help increase family support of the students' study of Spanish. The family letter keeps families abreast of the class's progress, while the family involvement activities let students share their Spanish language skills with their families in the context of a game or fun activity.

ABSENT STUDENT COPYMASTERS

The Absent Student Copymasters enable students who miss part of a **lesson** to go over the material on their own. The checkbox format allows teachers to choose and indicate exactly what material the student should complete. The Absent Student Copymasters also offer strategies and techniques to help students understand new or challenging information.

Core Ancillaries in the ¡Avancemos! Program

Leveled workbooks

CUADERNO: PRÁCTICA POR NIVELES

This core ancillary is a leveled practice workbook to supplement the student text. It is designed for use in the classroom or as homework. Students who can complete the activities correctly should be able to pass the quizzes and tests. Practice is organized into three levels of difficulty, labeled A, B, and C. Level B activities are designed to practice vocabulary, grammar, and other core concepts at a level appropriate to most of your students. Students who require more structure can complete Level A activities, while students needing more of a challenge should be encouraged to complete the activities in Level C. Each level provides a different degree of linguistic support, yet requires students to know and handle the same vocabulary and grammar content.

The following sections are included in *Cuaderno: práctica por niveles* for each **lesson**:

Vocabulario A, B, C	Escuchar A, B, C
Gramática 1 A, B, C	Leer A, B, C
Gramática 2 A, B, C	Escribir A, B, C
Integración: Hablar	Cultura A, B, C
Integración: Escribir	

CUADERNO PARA HISPANOHABLANTES

This core ancillary provides leveled practice for heritage learners of Spanish. Level A is for heritage learners who hear Spanish at home but who may speak little Spanish themselves. Level B is for those who speak some Spanish but don't read or write it yet and who may lack formal education in Spanish. Level C is for heritage learners who have had some formal schooling in Spanish. These learners can read and speak Spanish, but may need further development of their writing skills. The *Cuaderno para hispanohablantes* will ensure that heritage learners practice the same basic grammar, reading, and writing skills taught in the student text. At the same time, it offers additional instruction and challenging practice designed specifically for students with prior knowledge of Spanish.

The following sections are included in *Cuaderno para hispanohablantes* for each **lesson**:

Vocabulario A, B, C	Integración: Hablar
Vocabulario adicional	Integración: Escribir
Gramática 1 A, B, C	Lectura A, B, C
Gramática 2 A, B, C	Escritura A, B, C
Gramática adicional	Cultura A, B, C

Other Ancillaries

ASSESSMENT PROGRAM

For each level of *¡Avancemos!*, there are four complete assessment options. Every option assesses students' ability to use the lesson and unit vocabulary and grammar, as well as assessing reading, writing, listening, speaking, and cultural knowledge. The on-level tests are designed to assess the language skills of most of your students. Modified tests provide more support, explanation and scaffolding to enable students with learning difficulties to produce language at the same level as their peers. Pre-AP* tests build the test-taking skills essential to success on Advanced Placement tests. The assessments for heritage learners are all in Spanish, and take into account the strengths that native speakers bring to language learning.

In addition to leveled lesson and unit tests, there is a complete array of vocabulary, culture, and grammar quizzes. All tests include scoring rubrics and point teachers to specific resources for remediation.

UNIT TRANSPARENCY BOOKS—1 PER UNIT

Each transparency book includes:

- Map Atlas Transparencies (Unit 1 only)
- Unit Opener Map Transparencies
- Fine Art Transparencies
- Vocabulary Transparencies
- Grammar Presentation Transparencies
- Situational Transparencies with Label Overlay (plus student copymasters)
- Warm Up Transparencies
- Student Book and Workbook Answer Transparencies

LECTURAS PARA TODOS

A workbook-style reader, *Lecturas para todos*, offers all the readings from the student text as well as additional literary readings in an interactive format. In addition to the readings, they contain reading strategies, comprehension questions, and tools for developing vocabulary.

There are four sections in each *Lecturas para todos*:

- *¡Avancemos!* readings with annotated skill-building support
- *Literatura adicional*—additional literary readings
- Academic and Informational Reading Development
- Test Preparation Strategies

LECTURAS PARA HISPANOHABLANTES

Lecturas para hispanohablantes offers additional cultural readings for heritage learners and a rich selection of literary readings. All readings supported by reading strategies, comprehension questions, tools for developing vocabulary, plus tools for literary analysis.

There are four sections in each *Lecturas para hispanohablantes*:

- *En voces* cultural readings with annotated skill-building support
- *Literatura adicional*—high-interest readings by prominent authors from around the Spanish-speaking world. Selections were chosen carefully to reflect the diversity of experiences Spanish-speakers bring to the classroom.
- Bilingual Academic and Informational Reading Development
- Bilingual Test Preparation Strategies, for success on standardized tests in English

COMIC BOOKS

These fun, motivating comic books are written in a contemporary, youthful style with full-color illustrations. Each comic uses the target language students are learning. There is one 32-page comic book for each level of the program.

TPRS: TEACHING PROFICIENCY THROUGH READING AND STORYTELLING

This book includes an up-to-date guide to TPRS and TPRS stories written by Piedad Gutiérrez that use *¡Avancemos!* lesson-specific vocabulary.

MIDDLE SCHOOL RESOURCE BOOK

- Practice activities to support the 1b Bridge lesson
- Diagnostic and Bridge Unit Tests
- Transparencies
  - Vocabulary Transparencies
  - Grammar Transparencies
  - Answer Transparencies for the Student Text
  - Bridge Warm Up Transparencies
- Audio CDs

LESSON PLANS

- Lesson Plans with suggestions for modifying instruction
- Core and Expansion options clearly noted
- IEP suggested modifications
- Substitute teacher lesson plans

BEST PRACTICES TOOLKIT

Strategies for Effective Teaching

- Research-based Learning Strategies
- Language Learning that Lasts: Teaching for Long-term Retention
- Culture as a Cornerstone/Cultural Comparisons
- English Grammar Connection
- Building Vocabulary
- Developing Reading Skills
- Differentiation
- Best Practices in Teaching Heritage Learners
- Assessment (including Portfolio Assessment, Reteaching and Remediation)
- Best Practices Swap Shop: Favorite Activities for Teaching Reading, Writing, Listening, Speaking
- Reading, Writing, Listening, and Speaking Strategies in the World Languages classroom
- ACTFL Professional Development Articles
- Thematic Teaching
- Best Practices in Middle School

Using Technology in the World Languages Classroom

Tools for Motivation

- Games in the World Languages Classroom
- Teaching Proficiency through Reading and Storytelling
- Using Comic Books for Motivation

Pre-AP and International Baccalaureate

- International Baccalaureate
- Pre-AP

Graphic Organizer Transparencies

- Teaching for Long-term Retention
- Teaching Culture
- Building Vocabulary
- Developing Reading Skills

Absent Student Copymasters—Tips for Students

LISTENING TO CDS AT HOME

- Open your text, workbook, or class notes to the corresponding pages that relate to the audio you will listen to. Read the assignment directions if there are any. Do these steps before listening to the audio selections.

- Listen to the CD in a quiet place. Play the CD loudly enough so that you can hear everything clearly. Keep focused. Play a section several times until you understand it. Listen carefully. Repeat aloud with the CD. Try to sound like the people on the CD. Stop the CD when you need to do so.

- If you are lost, stop the CD. Replay it and look at your notes. Take a break if you are not focusing. Return and continue after a break. Work in short periods of time: 5 or 10 minutes at a time so that you remain focused and energized.

QUESTION/ANSWER SELECTIONS

- If there is a question/answer selection, read the question aloud several times. Write down the question. Highlight the key words, verb endings, and any new words. Look up new words and write their meaning. Then say everything aloud.

- One useful strategy for figuring out questions is to put parentheses around groups of words that go together. For example: (¿Cuántos niños)(van)(al estadio)(a las tres?) Read each group of words one at a time. Check for meaning. Write out answers. Highlight key words and verb endings. Say the question aloud. Read the answer aloud. Ask yourself if you wrote what you meant.

- Be sure to say everything aloud several times before moving on to the next question. Check for spelling, verb endings, and accent marks.

FLASHCARDS FOR VOCABULARY

- If you have Internet access, go to ClassZone at classzone.com. All the vocabulary taught in *¡Avancemos!* is available on electronic flashcards. Look for the flashcards in the *¡Avancemos!* section of ClassZone.

- If you don't have Internet access, write the Spanish word or phrase on one side of a 3″ × 5″ card, and the English translation on the other side. Illustrate your flashcards when possible. Be sure to highlight any verb endings, accent marks, or other special spellings that will need a bit of extra attention.

GRAMMAR ACTIVITIES

- Underline or highlight all verb endings and adjective agreements. For example: **Nosotros comemos pollo rico.**

- Underline or highlight infinitive endings: **trabajar**.

- Underline or highlight accented letters. Say aloud and be louder on the accented letters. Listen carefully for the loudness. This will remind you where to write your accent mark. For example: **lápiz**, **lápices**, **árbol**, **árboles**

- When writing a sentence, be sure to ask yourself, "What do I mean? What am I trying to say?" Then check your sentence to be sure that you wrote what you wanted to say.

- Mark patterns with a highlighter. For example, for stem-changing verbs, you can draw a "boot" around the letters that change:

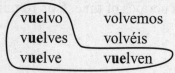

READING AND CULTURE SECTIONS

- Read the strategy box. Copy the graphic organizer so you can fill it out as you read.

- Look at the title and subtitles before you begin to read. Then look at and study any photos and read the captions. Translate the captions only if you can't understand them at all. Before you begin to read, guess what the selection will be about. What do you think that you will learn? What do you already know about this topic?

- Read any comprehension questions before beginning to read the paragraphs. This will help you focus on the upcoming reading selection. Copy the questions and highlight key words.

- Reread one or two of the questions and then go to the text. Begin to read the selection carefully. Read it again. On a sticky note, write down the appropriate question number next to where the answer lies in the text. This will help you keep track of what the questions have asked you and will help you focus when you go back to reread it later, perhaps in preparation for a quiz or test.

- Highlight any new words. Make a list or flashcards of new words. Look up their meanings. Study them. Quiz yourself or have a partner quiz you. Then go back to the comprehension questions and check your answers from memory. Look back at the text if you need to verify your answers.

PAIRED PRACTICE EXERCISES

- If there is an exercise for partners, practice both parts at home.

- If no partner is available, write out both scripts and practice both roles aloud. Highlight and underline key words, verb endings, and accent marks.

WRITING PROJECTS

- Brainstorm ideas before writing.

- Make lists of your ideas.

- Put numbers next to the ideas to determine the order in which you want to write about them.

- Group your ideas into paragraphs.

- Skip lines in your rough draft.

- Have a partner read your work and give you feedback on the meaning and language structure.

- Set it aside and reread it at least once before doing a final draft. Double-check verb endings, adjective agreements, and accents.

- Read it once again to check that you said what you meant to say.

- Be sure to have a title and any necessary illustrations or bibliography.

Did You Get It? *Presentación de vocabulario*

> **¡AVANZA!**   **Goal:**   Learn some newspaper-related terms and phrases for stating opinions.

The news

• Read and study some expressions to help you discuss opinions with your friends.

Expressing opinions	**Es importante que...** *(It's important that...)*
	Es bueno que... *(It's good that...)*
	Es malo que... *(It's not good that...)*
	Es preferible que... *(It's preferable that...)*
	Es necesario que... *(It's necessary that...)*
Your point of view	**la cuestión** *(question, issue)*
	la opinión *(opinion)*
	el punto de vista *(point of view)*
	por un lado...por otro lado... *(on the one hand . . . on the other . . .)*
	por eso *(for that reason, that's why)*
	sin embargo *(however)*
	no sólo...sino también *(not only...but also)*
	estar / no estar de acuerdo con *(to agree / disagree with)*
The newspaper	**anuncio** *(advertisement)*
	el artículo *(article)*
	la entrevista *(interview)*
	el periódico *(newspaper)*
	las noticias *(news)*
	el titular *(headline)*
The people	**el (la) editor(a)** *(editor)*
	el (la) escritor(a) *(writer)*
	el (la) fotógrafo(a) *(photographer)*
	el (la) periodista *(reporter)*
The jobs	**investigar** *(to investigate)*
	entrevistar *(to interview)*
	publicar *(to publish)*
	explicar *(to explain)*
	describir *(to describe)*
	presentar (información) *(to present (information)*

Did You Get It? *Práctica de vocabulario*

> **¡AVANZA!** **Goal:** Learn some newspaper-related terms and phrases for stating opinions.

1 Who does what on the newspaper? Match the columns.

1. La editora... _____	**a.** toma las fotos para el periódico.
2. El fotógrafo... _____	**b.** lee el periódico.
3. El periodista... _____	**c.** lee los artículos y corrige los errores.
4. La escritora... _____	**d.** escribe los artículos.
5. El público... _____	**e.** entrevista a personas para el periódico.

2 Label the three parts of the newspaper.

El anuncio	El artículo	El titular

1. _____

2. _____

3. _____

3 Decide whether each statement is **Cierto (C)** or **Falso (F)**.

1. El editor entrevista a los personajes famosos para el periódico.   C   F

2. Una entrevista sirve para saber las opiniones de las personas.   C   F

3. La fotógrafa publica artículos de texto sin fotos.   C   F

4. Es preferible que un periódico no incluya información.   C   F

5. Un periódico de la escuela es para la comunidad escolar.   C   F

6. Es bueno que los estudiantes expresen sus puntos de vista.   C   F

7. Trabajamos mejor cuando no estamos de acuerdo con nadie.   C   F

8. Los anuncios del periódico hablan de política internacional.   C   F

9. Un artículo sobre la presión de grupo no interesa a los estudiantes.   C   F

10. Los estudiantes que hacen el periódico saben trabajar en equipo.   C   F

4 Select the most logical expression for each statement.

1. _____ vayas a la escuela cada día.

   a. Es necesario que

   b. Es malo que

   c. Sin embargo

2. _____ saque una "F" en la clase de español.

   a. Es importante que

   b. Es interesante que

   c. Es malo que

3. _____ hagas la tarea para recibir buenas notas.

   a. Es importante que

   b. Por eso

   c. Sin embargo

4. _____ cada estudiante exprese su punto de vista en el periódico.

   a. Sino también

   b. Sin embargo

   c. Es bueno que

5. _____ el periódico tenga artículos, anuncios y noticias.

   a. No sólo

   b. Es malo que

   c. Es preferible que

5 Choose a logical ending to each impersonal expression.

_____ **1.** Ana es periodista. Es necesario que...

_____ **2.** Andrés está enfermo. Es malo que...

_____ **3.** Antonio no tiene mucho dinero. Es preferible que...

_____ **4.** Luisa quiere estudiar. Es importante que...

_____ **5.** Hace fresco hoy. Es bueno que...

a. no coma en un restaurante.

b. lleve una chaqueta.

c. entreviste a la gente.

d. salga de casa hoy.

e. vaya a la biblioteca.

Did You Get It? *Presentación de gramática*

> **¡AVANZA!**   **Goal:**   Learn how to use the subjunctive with impersonal expressions.

Subjunctive with Impersonal Expressions

- You already know how to form the subjunctive and how to use it after expressions of hope with **ojalá que**. You also use the subjunctive after impersonal expressions, such as those below. Read and study the sentences in the chart, paying attention to the highlighted expressions and verbs.

Es importante que <u>comamos</u> el desayuno.	*(It is important that we <u>eat</u> breakfast)*
Es necesario que ella <u>exprese</u> su punto de vista.	*(It is necessary that she <u>express</u> her point of view.)*
Es malo que él <u>publique</u> el periódico con errores.	*(It's bad that he <u>publish</u> the newspaper with errors.)*
Es bueno que <u>tengas</u> la cámara.	*(It's good that you <u>have</u> the camera.)*
Es preferible que <u>escriba</u> tres artículos.	*(It's preferable that he <u>write</u> three articles.)*

EXPLANATION: The subjunctive is used after impersonal expressions, such as **es importante que**, *(it's important that)*, **es necesario que** *(it's necessary that)*, **es malo que** *(it's bad that)*, **es preferible que** *(it's preferable that)*, and so on. In fact, it is used after all impersonal expressions except those that indicate certainty, such as **es claro** *(it's clear)*, **es cierto** *(it's certain)*, **es evidente** *(it's evident)*, and so on.

- Read the following sentences, paying attention to the highlighted words.

Es necesario que **<u>me dé</u>** el artículo.	*(It's necessary that he **give <u>me</u>** the article.)*
Es importante que **<u>nos expliques</u>** tu opinión.	*(It's important that you **explain** to **<u>us</u>** your opinion.)*
Es malo que no **<u>les presenten</u>** toda la información.	*(It's bad that they do not **present** to **<u>them</u>** all the information.)*

EXPLANATION: As with other verbs, pronouns are placed *before* the verb in the subjunctive.

Did You Get It? *Práctica de gramática*

| ¡AVANZA! | **Goal:** Learn how to use the subjunctive with impersonal expressions. |

1 Choose the correct answer to complete each sentence.

1. Para el fotógrafo, es importante que...

   tome fotos claras.   toma artículos buenos.   tomas artículos buenos.

2. Para la editora del periódico escolar, es preferible que...

   no comete errors.   no cometa errores.   no cometas errores.

3. Para los estudiantes, es bueno que...

   no tienen presión   no tenemos presión   no tengan presión
   de grupo.   de grupo.   de grupo.

4. Para el periodista, es malo que...

   nadie lea el periódico.   nadie lee el periódico.   nadie leen el periódico.

5. Para el director de la escuela, es necesario que...

   el periódico sea   el periódico es   el periódico no sea
   interesante.   interesante.   interesante.

2 Write the correct form of the verb to complete each sentence.

1. Es necesario que el periodista _____ a muchas personas en la escuela. *(entrevistar)*

2. Es preferible que nosotros _____ los efectos de la presión de grupo. *(explicar)*

3. Es malo que la escritora no _____ los artículos. *(escribir)*

4. Es bueno que sus amigos _____ una fuerte amistad. *(tener)*

5. Es importante que los estudiantes _____ la tarea. *(hacer)*

6. Es necesario que tú _____ un artículo sobre el fútbol. *(preparar)*

7. Es preferible que yo _____ las fotos para mañana. *(organizar)*

8. Es malo que María _____ ir a otra escuela. *(querer)*

9. Es bueno que todos _____ sus puntos de vista. *(expresar)*

10. Es importante que las empresas *(companies)* _____ anuncios. *(publicar)*

❸ Rewrite the following sentences using an appropriate expression from the box and the subjunctive. The first one is done for you.

Es importante que...	**Es bueno que...**	**Es malo que...**
Es preferible que...	**Es interesante que...**	**Es necesario que...**

1. Los periodistas dicen la verdad.
   Es importante que los periodistas digan la verdad.

2. El periódico presenta muchos puntos de vista.
   _____

3. El artículo no tiene errores.
   _____

4. La fotógrafa toma muchas fotos.
   _____

5. La editora prepara toda la información.
   _____

❹ What do you think? Answer the questions in complete sentences.

1. ¿Es bueno que un periódico escolar sólo publique artículos sobre la comunidad escolar?
   _____

2. ¿Es preferible que sólo publiquen artículos los buenos estudiantes?
   _____

3. ¿Es importante que la editora sepa las opiniones de estudiantes de otros países?
   _____

4. ¿Es malo que el periódico no publique artículos en otros idiomas?
   _____

5. ¿Es bueno que el periódico explique la información además de presentarla?
   _____

6. ¿Es necesario que todos los estudiantes lean el periódico todos los días?
   _____

Did You Get It? *Presentación de gramática*

> **¡AVANZA!** **Goal:** Learn the different meanings and uses of **por** and **para**.

Por / para

- The prepositions **por** and **para** have similar meanings but different uses in Spanish. Read and study the sentences below that illustrate the different uses of **por**.

Uses of *por*	
Examples	**Explanation**
Gracias **por** la ayuda. *(Thanks for the help.)*	**cause** of or **reason** for an action
Me llamó **por** teléfono. *(He called me by phone.)*	**means** of communication
Viví en España **por** un año. *(I lived in Spain for a year.)*	**period** of time
Voy a España **por** Portugal. *(I'm going to Spain through Portugal.)*	**movement** through a place

Uses of *para*	
Examples	**Explanation**
Estudiamos **para** sacar buenas notas. *(We study in order to get good grades.)*	**goal** to reach or **purpose** to fulfill
Vamos **para** el mercado a las nueve. *(We leave for the market at nine.)*	**movement** toward a place
Este regalo es **para** Susana. *(This gift is for Susana.)*	**recipient** of an action or object
Para mí, es importante saber la fecha. *(To me, it's important to know the date.)*	**opinion**
Toma las fotos **para** el lunes. *(Take the pictures by Monday.)*	**deadline**
Trabajo **para** la escuela. *(I work for the school.)*	**employment**

Did You Get It? *Práctica de gramática*

¡AVANZA!   **Goal:** Learn the different meanings and uses of **por** and **para**.

❶ Which preposition would you use for the underlined word, **por** or **para**?

1. We usually leave <u>for</u> school at 7:30. _____

2. Thanks <u>for</u> the gift you gave me. _____

3. I went to the zoo <u>through</u> the park. _____

4. Is this package <u>for</u> me? _____

5. I cook at home <u>in order</u> to eat well. _____

6. Did she reach you <u>by</u> phone? _____

7. They will deliver the package <u>by</u> Monday. _____

8. They were at the beach <u>for</u> three weeks. _____

9. Is this information important <u>for</u> you to know? _____

10. I received the news <u>by</u> email. _____

11. They took off <u>for</u> the gym at 3 o'clock. _____

12. My grandparents visited <u>for</u> one month. _____

13. Thanks <u>for</u> all your help. _____

❷ Complete each sentence using **por** or **para**.

1. Necesito salir _____ la casa a las siete.

2. _____ mí, es mejor que el fotógrafo use una cámara digital.

3. El editor me llama _____ teléfono.

4. Muchas gracias _____ el regalo de Navidad.

5. Entrevista al estudiante nuevo _____ el viernes.

6. _____ eso, los estudiantes leen el periódico escolar.

7. Tengo un regalo _____ ti.

8. _____ ir a la escuela, tienes que tomar el tren.

9. Es mejor caminar _____ el parque _____ llegar al estadio.

❸ What do you think? Answer the following questions in complete sentences.

1. ¿Trabajas para el periódico escolar?

_____

2. Para ti, ¿es importante que los estudiantes usen uniformes?

_____

3. ¿Mandas muchas noticias por correo electrónico?

_____

4. ¿Estudias para sacar buenas notas?

_____

5. ¿Por quién haces muchas cosas todas las semanas?

_____

6. ¿Por dónde pasas para ir desde tu casa a la escuela?

_____

❹ Translate the following sentences into Spanish.

1. Alicia is going to Spain to see her friends.

_____

2. For me, this newspaper is very interesting.

_____

3. She is buying a digital camera in order to take pictures of her trip.

_____

4. How long is she going to be there?

_____

5. I think she is going to be there for 2 weeks.

_____

6. Is she going to buy gifts for her friends?

_____

UNIDAD 7 Lección 1

Reteaching and Practice

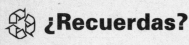 **¿Recuerdas?**

Level 2 p. 372

The present subjunctive

- Review the forms of the present subjunctive with the phrase **Ojalá que**...to express a hope or wish.

    ¡Ojalá que comamos pizza hoy!
    (I hope that we eat pizza today!)

    ¡Ojalá que recibamos regalos!
    (I hope we receive presents!)

- Study the chart to review the present subjunctive endings. Remember that the endings are the same for **-er** and **-ir** verbs.

-ar verbs **tomar** *(to take)*	**-er** verbs **comer** *(to eat)*	**-ir** verbs **vivir** *(to live)*
tom**e**	com**a**	viv**a**
tom**es**	com**as**	viv**as**
tom**es**	com**a**	viv**a**
tom**emos**	com**amos**	viv**amos**
tom**éis**	com**áis**	viv**áis**
tom**en**	com**an**	viv**an**

Práctica

Rewrite the sentences below using **Ojalá que** and the present subjunctive. Follow the model.

Modelo: La escritora escribe buenos artículos.

  ¡Ojalá que la escritora escriba buenos artículos!

1. El periodista entrevista a personas interesantes para el periódico.

_____

2. El periodista escribe tres artículos.

_____

3. El editor busca los errores en los artículos.

_____

4. La fotógrafa toma fotos excelentes.

_____

5. El periódico presenta mucha información.

_____

6. Los jóvenes no tienen presión de grupo.

_____

♻ ¿Recuerdas?

Events around town

- Review and study the following vocabulary related to events around town.

    el concierto *(concert)*

    la película *(movie)*

    el cine *(movie theater, the movies)*

    el parque *(park)*

    el restaurante *(restaurant)*

    el teatro *(theater)*

    el centro *(center, downtown)*

Práctica

❶ What do you usually associate with...

  1. el parque?

    los árboles   el arroz   la película

  2. el concierto?

    el museo   el cine   la música

  3. el restaurante?

    el concierto   la cuenta   el cine

  4. el cine?

    los frijoles   la película   el menú

  5. el teatro?

    los actores   los animales   el parque

❷ Use **ojalá que** and the subjunctive to write three sentences expressing three wishes you have for the weekend. Follow the model.

  Modelo: *¡Ojalá que pueda ir al cine el sábado!*

          ¡Ojalá que la película sea buena!

          ¡Ojalá que mis amigos y yo comamos en un buen restaurante!

  1. _____

  2. _____

  3. _____

Did You Get It? *Presentación de vocabulario*

| ¡AVANZA! | **Goal:** | Learn words to describe people and their relationships to each other and to talk about places in town. |

Relationships

- People can have many different kinds of relationships, even without having the same **apellido** *(last name)*! Read and study some of them below.

  el (la) novio(a) *(boyfriend, fiancé / girlfriend, fiancée)*

  el padrino *(godfather)*

  el (la) esposo(a) *(husband / wife)*

  la madrina *(godmother)*

  el (la) suegro(a) *(father / mother-in-law)*

  el (la) pariente *(relative)*

  el (la) cuñado(a) *(brother / sister-in-law)*

  el (la) hijo(a) *(child)*

  el (la) entrenador(a) de deportes *(coach)*

  el apellido *(last name)*

  el (la) compañero(a) de equipo *(teammate)*

- Here are some words and expressions to describe personalities and relationships.

  generoso(a) *(generous)*   **estar orgulloso(a) (de)** *(to be proud (of))*

  popular *(popular)*   **llevarse bien** *(to get along well)*

  sincero(a) *(sincere)*   **casarse** *(to get married)*

  tímido(a) *(shy)*

- Do you have pets at home? Here are two that some people might have.

  el pájaro *(bird)*

  el pez *(fish)*

- Read the following conversation to learn other words and phrases.

  Lupe: Hola, Ángela. ¿Adónde vas?

  Ángela: Voy al **banco** *(bank)* y después al **correo** *(post office)*. ¿Quieres acompañarme?

  Lupe: No puedo. **Tengo una cita** *(I have an appointment)* con el dentista. Tengo que estar en su **consultorio** *(office)* a la una y media.

  Ángela: Ay, es la una y veinte. No puedes **quedarte** *(stay)* a hablar conmigo. ¡Tienes que **irte** *(go)* ahora mismo!

Did You Get It? *Práctica de vocabulario*

| ¡AVANZA! | **Goal:** | Learn words to describe people and their relationships to each other and to talk about places in town. |

1 Write the correct form of an adjective in the box to describe each person.

tímido	generoso	sincero
popular		orgulloso

1. José y su hermano tienen muchos amigos. Ellos son _____ .

2. La Sra. Robles da mucho dinero a los pobres. Ella es _____ .

3. Enrique siempre dice la verdad. Él es _____ .

4. Migdalia tiene miedo de conocer a personas nuevas. Ella es _____ .

5. Julia saca buenas notas. Sus padres están muy _____ de ella.

2 Where is each person going?

banco	consultorio	correo

1. Marco quiere mandar una carta a su primo en España.
   Va al _____ .

2. Raúl quiere comprar un nuevo bate, pero necesita dinero.
   Va al _____ .

3. Lupe está enferma. Va al _____ del médico a las dos y media.

3 Choose the correct word to complete each sentence.

entrenadora	parientes	cuñada
apellido	hijo	madrina
	compañeras de equipo	

1. Mi hermano Pepe se casó el mes pasado. Su esposa es mi
   _____ .

2. Tengo una familia grande y todos mis _____ son simpáticos.

3. Pedro y Marisa tienen un _____ . El niño tiene dos años.

4. Mi _____ , Tía Luisa, es como una madre para mí.

5. Pérez es un _____ muy común en América Latina.

6. Mis _____ de vóleibol son muy simpáticas.

7. La señora Ramos es una buena _____ de tenis.

4 Choose the correct word or phrase to complete the conversation.

cita	quedarme	suegra
suegro	se casó	se lleva
consultorio	sincero	generoso
orgullosos		irme

Nilda: Hola, Rosa. ¿Cómo estás?

Rosa: Bien, gracias, Nilda. ¿Y tú?

Nilda: Muy bien. ¿Cómo está tu hija Ana? _____ la semana pasada, ¿verdad?

Rosa: Sí, es verdad. Estamos muy _____ de ella. Tiene un esposo simpático. También es _____ y _____ . Se llama Alejandro.

Nilda: ¡Qué bien para Ana! Está feliz, ¿no?

Rosa: Sí, está feliz, pero tiene un problema.

Nilda: ¿Cuál?

Rosa: No _____ bien con su _____ .

Nilda: ¡Qué lástima! ¿Y con su _____ ?

Rosa: No tiene ningún problema con el padre de Alejandro, sólo con la madre. Ella es...

Nilda: Ay, Rosa, me gustaría _____ a hablar más contigo, pero tengo que _____ . Tengo una _____ con el **médico**. Tengo que estar en el _____ en diez minutos.

5 Write three sentences using at least two adjectives in each to describe people in your life.

1. _____

2. _____

3. _____

Did You Get It? *Presentación de gramática*

> **¡AVANZA!**   **Goal:**   Review how to form comparisons between people or things.

Comparatives

• Read and study the following sentences, paying attention to the highlighted words.

Isabel tiene **más libros que** Elena.
*(Isabel has **more books than** Elena.)*

más...que
(more...than)

Mi madre es **menos paciente que** mi padre.
*(My mother is **less patient than** my father.)*

menos...que
(less...than)

Alfredo es **tan alto como** Enrique.
*(Alfredo is **as tall as** Enrique.)*

Juan tiene **tantos primos como** Sonia.
*(John has **as many cousins** as Sonia.)*

tan...como
(as...as)

EXPLANATION: más...que, **menos...que**, and **tan...como** are used with a *noun* to compare *quantities* and an *adjective* to compare *qualities*.

• Read and study the following sentences.

más que... *(more than)*

Me gustan los tomates **más que** la lechuga.
*(I like tomatoes **more than** lettuce.)*

menos que... *(less than)*

Miguel juega al fútbol **menos que** al baloncesto.
*(Michael plays soccer **less than** basketball.)*

tanto como... *(as much as)*

Leo **tanto como** Susana.
*(I read **as much as** Susana.)*

EXPLANATION: Use **más que**, **menos que**, and **tanto que** when the comparison does not involve qualities or quantities.

• Read and study these sentences.

Tomás es **mayor que** Jorge.
*(Tomás is **older than** Jorge.)*

Este libro es **mejor que** el otro.
*(This book is **better than** the other one.)*

Álex es **menor que** Isa.
*(Álex is **younger than** Isa.)*

Esta película es **peor que** la otra.
*(This film is **worse than** the other one.)*

EXPLANATION: Some comparatives are irregular.

Did You Get It? *Práctica de gramática*

Level 2 pp. 396–397

| ¡AVANZA! | **Goal:** Review how to form comparisons between people or things. |

1 Complete each comparison with the correct form of **tan**.

1. María tiene / recibió _____ regalos como su prima Lola.
2. Julián tiene _____ amigas como Roberto y Andrés.
3. Ernesto y Elvira tienen _____ tiempo libre como nosotros.
4. Los entrenadores tienen _____ problemas como los jugadores.
5. Yo tengo _____ tarea como mi hermano mayor.
6. Luisa es _____ inteligente como su hermano.
7. Nosotros escribimos _____ bien como tú.
8. Recibo _____ correos electrónicos como mi hermana.
9. Estudiamos _____ como ellos.
10. ¿Eres _____ generoso como tus padres?

2 Use the comparative phrase in parentheses to write a sentence based on the information given. Follow the model.

Modelo: Tú tienes dos primos. Isabel tiene cuatro. (menos...que)
Tú tienes menos primos que Isabel.

1. Julia tiene veinte años. David tiene dieciocho años. (más...que)

_____

2. El Sr. Valdez es paciente. La Sra. Hernández es paciente. (tan...como)

_____

3. Mi primo tiene ocho años. Mi hermana tiene doce años. (mayor que...)

_____

4. Mi cuñada es generosa. Mi suegro es menos generoso. (más...que)

_____

5. Mi abuelo tiene sesenta años. Mi abuela tiene sesenta años. (tan...como)

_____

6. Me gusta comer papas fritas. A mi novio le gusta comer papas fritas. (tanto como...)

_____

7. La película de terror es mala. La película de aventuras es peor. (peor que...)

_____

3 Translate the following sentences into Spanish.

1. Josefina is more generous than Pilar.

_____

2. I am as old as my girlfriend.

_____

3. José likes soccer less than tennis.

_____

4. Julia has fewer cousins than I do.

_____

5. Elena has as many CDs as I do.

_____

6. I eat less fruit than my mother.

_____

4 How do you compare with your family and friends? Use the following comparative words and expressions to compare yourself with the people below.

más...que	**mayor**	**más que...**
menos...que	**menor**	**menos que...**
tan...como	**peor**	**tanto como...**
	mejor	

1. tus hermanos _____

2. tus padres _____

3. tus abuelos _____

4. tus amigos _____

5. tu mejor amigo(a) _____

Did You Get It? *Presentación de gramática*

> **¡AVANZA!**   **Goal:**   Learn how to use superlatives to describe people, places, and things.

Superlatives

• Read and study the sentences.

Antonio es **el más generoso**.   *(Antonio is **the most generous**.)*

María es **la más sincera**.   *(Maria is **the most sincere**.)*

Las hermanas Rodríguez son **las más bonitas**. *(The Rodríguez sisters are **the prettiest**.)*

EXPLANATION: In Spanish, superlatives are formed by using **más** *(most)* and **menos** *(least)*. Note that the article and the adjective *agree* in gender and number with the noun expressed.

• Read and study these sentences.

Mi madre es **la persona más popular** que conozco.

*(My mother is **the most popular person** I know.)*

Mi amiga es **la chica más simpática** que conozco.

*(My friend is the **friendliest girl** I know.)*

EXPLANATION: If a noun is a part of the superlative phrase, it is placed *between* the article and the superlative.

• Read and study these sentences.

Lo más importante es estudiar.   **Lo más interesante** es el partido de fútbol.

*(**The most important thing** is to study.)*   *(**The most interesting thing** is the soccer match.)*

EXPLANATION: When you are talking about an idea or concept, use the article **lo**.

• Use the irregular forms you learned with comparatives when referring to the best, worst, oldest, and youngest. You use them *without* **más** or **menos**.

Adjective	*Superlative*
bueno(a) *(good)*	**el (la) mejor** *(the best)*
malo(a) *(bad)*	**el (la) peor** *(the worst)*
viejo(a) *(old)*	**el (la) mayor** *(the oldest)*
joven *(young)*	

Mis hermanas son **buenas**, pero tus hermanas son **las mejores**.

*(My sisters are **good**, but your sisters are **the best**.)*

Did You Get It? *Práctica de gramática*

¡AVANZA!   **Goal:** Learn how to use superlatives to describe people, places, and things.

---

1 Complete each description.

1. Antonio y Julia son...

los más interesantes.   el más interesante.   la más interesante.

2. Los profesores de ciencias son...

las más inteligentes.   los más inteligentes.   la más inteligente.

3. Los estudiantes de primer año son...

las más jóvenes.   el más joven.   los más jóvenes.

4. El director de la escuela es...

la más vieja.   el más viejo.   los más viejos.

5. La familia de mi amiga Luz es...

lo más grande.   la más grande.   el más grande.

6. Practicar deportes y hablar con los amigos es...

la mejor de la escuela.   lo mejor de la escuela.   los mejores.

7. Beatriz y Silvia son...

las más antipáticas.   los más antipáticos.   la más antipática.

2 Write a superlative to describe the following people in school. Follow the model.

Modelo: Karina / estudiante / tímida

Karina es la estudiante más tímida.

1. La Sra. Davis / maestra / paciente

_____

2. Ángela y Pepe / estudiantes / jóvenes

_____

3. Rosa / chica / generosa

_____

4. Miguel y David / chicos / inteligentes

_____

5. yo / estudiante / popular

_____

❸ Translate the following sentences into Spanish using the appropriate comparative expressions. Follow the model.

Modelo: In my family, my brother is the tallest.

En mi familia, mi hermano es el más alto.

1. The Bank of America is the largest in the community.

_____

2. The dentist's office is the smallest in the neighborhood.

_____

3. Lina is the most sincere student in the class.

_____

4. Ana is the least generous person I know.

_____

5. The most important thing is to be a good student.

_____

6. The least interesting thing is soccer.

_____

7. The most popular girls are Arancha and Lucía.

_____

8. The most fun thing is to talk with friends.

_____

9. Sergio and Mario are the most handsome in the neighborhood.

_____

10. Susana is the best sports coach in the city.

_____

❹ What do you think? Answer the following questions.

1. ¿Quién es la persona más interesante de tu familia?

_____

2. ¿Qué es lo mejor de ser estudiante en tu escuela?

_____

3. ¿Qué es lo más interesante que vas a hacer este fin de semana?

_____

¿Recuerdas?

Clothing

- Review the names of some clothing and accessories that you might wear every day.

el suéter *(sweater)*	**la gorra** *(cap)*
la falda *(skirt)*	**el reloj** *(watch)*
las botas *(boots)*	**el chaleco** *(vest)*
el gorro *(winter hat)*	**la chaqueta** *(jacket)*
la camiseta *(T-shirt)*	**los jeans** *(jeans)*
la camisa *(shirt)*	**los pantalones** *(pants)*

Práctica

1 Identify each article of clothing.

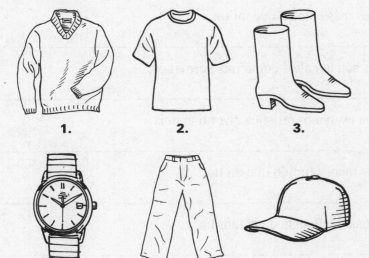

1.	**2.**	**3.**
4.	**5.**	**6.**

1. _____   4. _____

2. _____   5. _____

3. _____   6. _____

2 Tell to whom each item belongs. The first one is done for you.

1. estas botas / Raúl __*Estas botas son suyas.*_____ .

2. esas camisas / tú _____ .

3. aquel suéter / mí _____ .

4. esos pantalones / María _____ .

5. esta gorra / Javier _____ .

♻ ¿Recuerdas?

Family

• Review the vocabulary used to talk about members of your family.

los abuelos *(grandparents)*	**la abuela** *(grandmother)*	**el abuelo** *(grandfather)*
los padres *(parents)*	**la madre** *(mother)*	**el padre** *(father)*
los hijos *(children)*	**la hija** *(daughter)*	**el hijo** *(son)*
los hermanos *(siblings)*	**la hermana** *(sister)*	**el hermano** *(brother)*
los tíos *(aunts and uncles)*	**la tía** *(aunt)*	**el tío** *(uncle)*
los primos *(cousins)*	**la prima** *(female cousin)*	**el primo** *(male cousin)*

Práctica

❶ Translate the following sentences into English.

1. Mi madre es más cómica que mi tía.

_____

2. Mis primos son tan altos como mis hermanos.

_____

3. Mi hermana es menos artística que mi abuela.

_____

4. Mi padre es menos tímido que mi tío.

_____

5. Yo soy el más inteligente de la familia.

_____

❷ Translate the following sentences into Spanish.

1. Mi aunt is less timid than her sister.

_____

2. Mi brother is as patient as my father.

_____

3. Mi grandfather is more popular than his son.

_____

4. My grandmother is funnier than my brother.

_____

5. My parents are as fun as my grandparents.

_____

♻ ¿Recuerdas?

Classroom objects

- Review the vocabulary used to name classroom object.

el pizarrón (chalkboard)	**la tiza** (chalk)	**el borrador** (eraser)
el escritorio (desk)	**el mapa** (map)	**el reloj** (clock)
la silla (chair)	**la mochila** (backpack)	**el cuaderno** (notebook)
el lápiz (pencil)	**la pluma** (pen)	**la calculadora** (calculator)
el examen (test)	**el papel** (paper)	

Práctica

1 Identify each classroom object.

1.   2.   3.   4.

1. _____   3. _____

2. _____   4. _____

2 Tell about and compare how many items each person has. The first one is done for you.

1. Héctor has 2 exams. Teresa has 4.

   Héctor tiene dos exámenes. Teresa tiene cuatro. Héctor tiene menos exámenes que Teresa.

2. Raúl has 6 pens. Elena has 3.

   _____

3. María has 1 notebook. Isabel has 2.

   _____

4. Tomás has 2 backpacks. Esteban has 1 backpack.

   _____

5. Pilar has 5 erasers. Pablo has 1.

   _____

6. Silvia has 6 pencils. Lina has 8.

   _____

UNIDAD 7 Lección 2   Reteaching and Practice

Did You Get It? Answer Key

PRÁCTICA DE VOCABULARIO

THE NEWS, pp. 2–3

1
1. c
2. a
3. e
4. d
5. b

2
1. El titular
2. El anuncio
3. El artículo

3
1. F
2. C
3. F
4. F
5. C
6. C
7. F
8. F
9. F
10. C

4
1. a   2. c   3. a
4. c   5. c

5
1. c
2. d
3. a
4. e
5. b

PRÁCTICA DE GRAMÁTICA

SUBJUNCTIVE WITH IMPERSONAL
EXPRESSIONS, pp. 5–6

1
1. tome fotos claras.
2. no cometa errores.
3. no tengan presión del grupo.
4. nadie lea el periódico.
5. el periódico sea interesante.

2
1. entreviste
2. expliquemos
3. escriba
4. tengan
5. hagan
6. prepares
7. organice
8. quiera
9. expresen
10. publiquen

3
1. Es importante que los periodistas digan la verdad.
2. Answers will vary.
3. Answers will vary.
4. Answers will vary.
5. Answers will vary.

4 Answers will vary.

Did You Get It? Answer Key

PRÁCTICA DE GRAMÁTICA

POR AND PARA, pp. 8–9

❶

1. para
2. por
3. por
4. para
5. para
6. por
7. para
8. por
9. para
10. por
11. para
12. por
13. por

❷

1. para
2. Para
3. por
4. por
5. para
6. Por
7. para
8. Para
9. por; para

❸ Answers will vary.

❹

1. Alicia va a España para ver a sus amigos.
2. Para mí, este periódico es muy interesante.
3. Compra una cámara digital para tomar fotos del viaje.
4. ¿Por cuánto tiempo va a estar allí?
5. Pienso que va a estar allí por dos semanas.
6. ¿Va a comprar regalos para sus amigos?

Did You Get It? Answer Key

 ¿RECUERDAS?

THE PRESENT SUBJUNCTIVE, p. 10

Práctica

1. ¡Ojalá que el periodista entreviste a personas interesantes para el periódico!
2. ¡Ojalá que el periodista escriba tres artículos!
3. ¡Ojalá que el editor busque los errores en los artículos!
4. ¡Ojalá que la fotógrafa tome fotos excelentes!
5. ¡Ojalá que el periódico presente mucha información!
6. ¡Ojalá que los jóvenes no tengan presión de grupo!

¿RECUERDAS?

EVENTS AROUND TOWN, p. 11

Práctica

❶

1. los árboles
2. la música
3. la cuenta
4. la película
5. los actores

❷ Answers will vary.

Did You Get It? Answer Key

PRÁCTICA DE VOCABULARIO

RELATIONSHIPS, pp. 13–14

❶

1. populares
2. generosa
3. sincero
4. tímida
5. orgullosos

❷

1. correo
2. banco
3. consultorio

❸

1. cuñada
2. parientes
3. hijo
4. madrina
5. apellido
6. compañeras de equipo
7. entrenadora

❹

1. Nilda: Se casó
2. Rosa: orgullosos; sincero; generoso
3. Rosa: se lleva; suegra
4. Nilda: suegro
5. Nilda: quedarme; irme; cita; consultorio

❺ Answers will vary.

PRÁCTICA DE GRAMÁTICA

COMPARATIVES, pp. 16–17

❶

1. tantos
2. tantas
3. tanto
4. tantos
5. tanta
6. tan
7. tan
8. tantos
9. tanto
10. tan

❷

1. Julia tiene más años que David.
2. El Sr. Valdez es tan paciente como la Sra. Hernández.
3. Mi hermana es mayor que mi primo.
4. Mi cuñada es más generosa que mi suegro.
5. Mi abuelo tiene tantos años como mi abuela.
6. Me gusta comer papas fritas tanto como a mi novio.
7. La película de aventuras es peor que la película de terror.

❸

1. Josefina es más generosa que Pilar.
2. Tengo tantos años como mi amiga.
3. A José le gusta el fútbol menos que el tenis.
4. Julia tiene menos primos que yo.
5. Elena tiene tantos discos compactos como yo.
6. Yo como menos fruta que mi madre.

❹ Answers will vary.

Did You Get It? Answer Key

PRÁCTICA DE GRAMÁTICA

SUPERLATIVES, pp. 19–20

1. los más interesantes.
2. los más inteligentes.
3. los más jóvenes.
4. el más viejo.
5. la más grande.
6. lo mejor de la escuela.
7. las más antipáticas.

1. La Sra. Davis es la maestra más paciente.
2. Ángela y Pepe son los estudiantes más jóvenes.
3. Rosa es la chica más generosa.
4. Miguel y David son los chicos más inteligentes.
5. Yo soy el/la estudiante más popular.

3

1. El banco de América es el mayor/el más grande de la comunidad.
2. El consultorio de la dentista es el menor/más pequeño de mi barrio.
3. Lina es la estudiante más sincera de la clase.
4. Ana es la persona menos generosa que conozco.
5. Lo más importante es ser un buen estudiante.
6. Lo menos interesante es el fútbol.
7. Las chicas más populares son Arancha y Lucía.
8. Lo más divertido es hablar con los amigos.
9. Sergio y Mario son los más guapos del barrio.
10. Susana es la mejor entrenadora de deportes de la ciudad.

4 Answers will vary.

¿RECUERDAS?

CLOTHING, p. 21

Práctica

1

1. el suéter
2. la camiseta
3. las botas
4. el reloj
5. los pantalones
6. la gorra

2

1. *Estas botas son suyas.*
2. Esas camisas son tuyas.
3. Aquel suéter es mío.
4. Esos pantalones son suyos.
5. Esta gorra es suya.

¿RECUERDAS?

FAMILY, p. 22

Práctica

1

1. My mother is funnier than my aunt.
2. My cousins are as tall as my brothers.
3. My sister is less artistic than my grandmother.
4. My father is less timid than my uncle.
5. I am the most intelligent in the family.

2

1. Mi tía es menos tímida que su hermana.
2. Mi hermano es tan paciente como mi padre.
3. Mi abuelo es más popular que su hijo.
4. Mi abuela es más cómica que mi hermano.
5. Mis padres son tan divertidos como mis abuelos.

Did You Get It? Answer Key

 ¿RECUERDAS?

CLASSROOM OBJECTS, p. 23

Práctica

❶

1. la pluma
2. el mapa
3. el papel
4. el lápiz

❷

1. *Héctor tiene dos exámenes. Teresa tiene cuatro. Héctor tiene menos exámenes que Teresa.*

2. Raúl tiene seis plumas. Elena tiene tres. Raúl tiene más plumas que Elena.

3. María tiene un cuaderno. Isabel tiene dos. María tiene menos cuadernos que Isabel.

4. Tomás tiene dos mochilas. Esteban tiene una. Tomás tiene más mochilas que Esteban.

5. Pilar tiene cinco borradores. Pablo tiene uno. Pilar tiene más borradores que Pablo.

6. Silvia tiene seis lápices. Lina tiene ocho. Silvia tiene menos lápices que Lina.

¿Qué es? *Práctica de vocabulario*

Unscramble the words and place them in the spaces provided. Match the words with their purpose.

serta ne ínlae	_____
nótar	_____
edatclo	_____
mracaá gaidtli	_____
nercóidic ncleteróiac	_____
dcsio poccomta	_____

WORD   **PURPOSE**

1. ___ ___ ___ ___ ___ ___   escribir mensajes y cartas

2. ___ ___ ___ ___ ___ ___ ___ ___   enviar correos electrónicos
   ___ ___ ___ ___ ___ ___ ___ ___

3. ___ ___ ___ ___ ___ ___ ___   tomar fotografías y enviarlas
   ___ ___ ___ ___ ___ ___ ___   a mis amigos

4. ___ ___ ___ ___ ___   quemar música
   ___ ___ ___ ___ ___ ___ ___ ___

5. ___ ___ ___ ___ ___   dar clic en los iconos
                                                     de Internet

6. ___ ___ ___ ___ ___   ___ ___   navegar y abrir sitios web
   ___ ___ ___ ___ ___

Código secreto *Vocabulario en contexto*

Decode the letters of the two word combinations from the **Vocabulario** using the decoding chart.

The decoding chart

a	b	c	d	e	f	g	h	i	j
$	--	¶	>	@	Σ	&	**	=	WW
k	l	m	n	ñ	o	p	q	r	s
o	++	%	(	;;;	£	¿	;	Ø	?
t	u	v	w	x	y	z			
+	U	V	§	---	///	<	Δ		

% $ n d $ Ø   ¶ £ r r @ £ ?

_ _ _ _ _ _   +   _ _ _ _ _ _ _

Ω + = 1 = Δ $ Ø   Ø $ t ó (

_ _ _ _ _ _ _ _   +   _ _ _ _ _

+ £ % $ Ø   Σ £ t £ s

_ _ _ _ _   +   _ _ _ _ _

¶ £ (e c + $ Ø   = (+ e r (@ t

_ _ _ _ _ _ _ _   +   _ _ _ _ _ _ _ _

UNIDAD 7 Lección 1   Practice Games

¿Qué pasó primero? *Práctica de gramática 1*

Read the following sentences and decide which are in the preterite tense based on the key words or phrases indicating the past. Then figure out the chronological order of the sentences that use the preterite form and arrange the letters that follow the sentences in parenthesis in the appropriate order in the spaces below to reveal a hidden message.

*Esta mañana nosotros **compartimos** un pastel. (t)

*Nosotros **pedimos** pizza para el almuerzo. (ro)

*Ayer nosotros **dormimos** hasta tarde. (e)

*Hace tres días mis padres y yo **salimos** a comprar un disco compacto. (int)

*Nosotros **escribimos** una carta al actor francés. (im)

*En el 2004 nosotros **recibimos** un correo de nuestro profesor de español. (nav)

***Abrimos** de diez de la mañana a ocho de la noche. (par)

*La semana pasada mis padres y yo **pedimos** una caja de discos compactos. (por)

***Recibimos** donaciones aquí. (min)

*El año pasado nosotros **preferimos** las clases de español que las de inglés. (eg)

*Anteayer nosotros **abrimos** una nueva cuenta de correo electrónico. (ern)

*El mes pasado mis amigos y yo **recibimos** un premio por la mejor página Web. (ar)

Hidden message: ___ ___ ___ ___ ___ ___ ___ ___ ___ ___

___ ___ ___ ___ ___ ___ ___ ___

Palabra clave *Gramática en contexto*

Fill in the blanks with the correct ending of the preterite verb form, drawing from the words in the word bank. Arrange the letters in the boxes to discover a hidden word that corresponds to the clue provided below.

WORD BANK

ir	salir	compartir	estar	pedir	preguntar
divertir	tomar	recoger	traer	volver	

Anoche yo fu [ ] a comer con mis amigos a un restaurante. Mi hermana

también s [a] li ___ con nosotros a las ocho de la noche. Todos comp [a][r]

ti [ ] ___ ___ una ensalada y pizza. La pizza es [t] uv___ deliciosa. También

pe [d] i ___ ___ ___ café y jugos. El mesero nos pregunt ___ si queríamos probar

un pastel. Nos diverti ___ ___ ___ en el restaurante hasta las once de la noche.

También tom [a] ___ ___ ___ fotos porque Juan salía de viaje al día siguiente. El

mesero re [c] o [g] [i] ___ los platos y nos tr [a] j___ la cuenta. Todos

vo [l] v___ ___ ___ ___ a casa muy tarde.

Hint: Esa noche tomamos fotos con mis amigos.

Palabra escondida: ___ ___ ___ ___ ___ ___   ___ ___ ___ ___ ___ ___

El laberinto *Práctica de gramática 2*

Provide the answer to sentence 1. Then according to your answer follow the signs
on the table below that lead to one of the possible answers to the second question.
Proceed until you find the happy face.

1. —¿Conoces _____ (algún / ningún) almacén de teléfonos?
2. —No deseo _____ (nada / algo) esta noche.
3. —¿Hay _____ (alguien / nadie) en casa?
4. —No había _____ (nadie / alguien) en el parque.

¡A ordenar! *Todo junto*

Friends are talking on the phone. Read the first part of a dialogue (numbers 1–5) and match that part with the appropriate responses (letters A–E).

____ **1. Miguel:** ¿Conoces algún sitio Web de ciencias y animales?

____ **2. María:** Te cuento que me gané un premio como la mejor fotógrafa.

____ **3. Julia:** ¿Han sabido algo de Antonio después de su llegada a Argentina?

____ **4. David:** ¿Sabes cómo usar la cámara digital?

____ **5. Eduardo:** ¿Tú qué prefieres, recibir correo electrónicos o cartas?

A. Andrés: Te felicito. ¡Qué bárbaro! ¿Y qué te dieron como premio?

B. Tatiana: ¡Claro! Toma las fotos, ponlas en la computadora y míralas en la pantalla.

C. Claudia: Yo prefiero recibir cartas.

E. Pedro: ¡Por supuesto! Nos envió un correo electrónico y su teléfono.

D. Juan: Sí claro, navega en el sitio el Planeta de los animales; es muy interesante.

Acróstico *Lectura*

Fill in the verbs in the acrostic puzzle in the preterit form of the third person singular (*él y ella*). Write down the first letter from each word from 1–11 to decipher the hidden word.

WORD BANK

competir	ofrecer	mirar	pensar	utilizar	transformar
acompañar	dibujar	ordenar	recomendar	alquilar	

1									
2									
3									
4									
5									
6									
7									
8									
9									
10									
11									

_____

¿Qué es? *Repaso de la lección*

Fill in the missing letters to create the answer to the clues. The first letter of the answer is already in place.

1. La semana anterior
   a esta semana

   S __ __ __ __ __   __ __ __ __ __

2. Símbolos y direcciones
   para navegar

   I __ __ __ __ __

3. Conjunto de letras,
   números y símbolos
   para escribir

   T__ __ __ __ __ __

4. Mensaje en línea,
   se conoce como
   el mensajero...

   I __ __ __ __ __ __ __ __ __ __ __

5. La computadora se
   conoce también como...

   O __ __ __ __ __ __ __ __

6. Todo sitio Web empieza
   con la triple

   W __ __

7. Hoy tenemos dirección
   postal y dirección...

   E __ __ __ __ __ __ __ __ __ __

8. Para quemar un disco
   hay que primero...
   música

   B __ __ __ __

Gabriela Gandara _Práctica de vocabulario_

The letters in each vertical column go into the squares directly below them, but not necessarily in the order they appear. Unscramble the words to form words in the boxes in the vertical boxes and form one word across.

```
T   S   I   Q   E   C   I   O   O   D   O
U   E   E   R   S   O   C   G   E   T   U
O   L   A   P   O   E   A   Z   N   A   S
T   B   R   A   H   S   U   O   E   R   M
A   O   F   E   A   A   R   I   L   N   E
S   T       U   R   C   O   C   F   E
I           C       A   O   T   A
            C           L   O
            D           O
```

Unidad 7, Lección 2
Practice Games

UNIDAD 7 Lección 2

Practice Games

38

¡Avancemos! 2
Unit Resource Book

¿Adónde ir? *Vocabulario en contexto*

Cuatro amigos salen a divertirse el domingo. Friends will spend their allowance on tickets for admission to different places. Help them decide what can they afford and where they can go together.

Precio de los boletos de acceso a:

Zoológico $5

Feria $7

Acuario $3

Museo $8

Parque de diversiones $10

Los boletos que pueden comprar son su dinero					
Florencia tiene $18		y		ó	
Mariano tiene $11		y			
Pedro tiene $12		y		ó	
Verónica tiene $10					

1. ¿Adónde pueden ir juntos Florencia y Mariano? _____

2. ¿Puede ir Pedro con Verónica al parque de diversiones? _____

3. ¿Adónde pueden ir juntos Pedro y Verónica? _____

4. ¿Adónde pueden ir juntas Florencia y Verónica? _____

5. Pedro quisiera ir con Mariano a la feria a comprar libros. ¿Pueden ir juntos? _____

Tic-Tac-Toe *Práctica de gramática*

Alone or with a friend take turns completing the correct past tense forms of the verbs *ir*, *hacer* and *hacer* in the boxes. Place an **X** on the board over the correct answer for number 1. Then allow a partner to place an **O** over number 2. Play until someone wins.

0	X
2. Yo _____ el mejor tenista del año. 4. Ellos _____ un viaje a Argentina. 6. Ayer _____ un día muy divertido. 8. Yo _____ mi tarea de inglés. 10. El mes pasado _____ mucho frío.	1. Anteayer, ellos _____ al cumpleaños de su mamá. 3. ¿Tú _____ ese dibujo? 5. Nosotros _____ los ganadores del concurso. 7. ¿ _____ vosotros a la feria?

hizo	fueron	hiciste
fui	hicieron	fue
fuisteis	hice	fuimos

Who won? _____

Última llamada a la vuelta al mundo *Gramática en contexto*

Imagine that ten friends go to an amusement park to ride on a ferris wheel with only seven seats available. You get to determine who rides by entering them in a raffle. Each friend gets a sentence, some are right and some are wrong. Only those who get the right sentence will ride the ferris wheel. The seven winners will find the parts of a hidden message in the chairs. Put together the parts to form a six-word message.

1.	Ayer lunes **hizo** un día muy triste para todos.		
2.	Nosotros **hicimos** dos llamadas por teléfono		
3.	Mis amigos y yo **venimos** al cine el fin de semana pasado.		
4.	Yo **hice** mi tarea de investigación por Internet.		
5.	Mis padres **fueron** a un viaje a España.		
6.	El sábado la feria **fue** muy divertido.		
7.	¿**Fuiste** al zoológico y al museo? ¡Qué suerte!		
8.	El viaje en la montaña rusa **fue** muy miedoso.		
9.	Vosotros **fueron** a mirar las pinturas de un pintor español en el museo.		
10.	Nosotros **hicimos** fila en la ventanilla (*ticket booth*) para comprar boletos.		

_____

_____

_____

_____

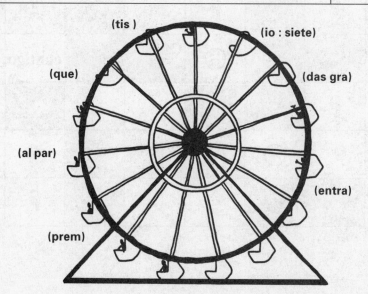

(tis) (io : siete) (que) (das gra) (al par) (entra) (prem)

Nombre _____ Clase _____ Fecha _____

¿Quieres ir al parque de diversiones? *Práctica de gramática 2*

Provide the answer to the sentence 1. Then according to your answer follow the signs
on the table below that lead to one of the possible answers to the second question.
Proceed until you find the ticket to the amusement park.

1. Este boleto es para _____? (tú, tí)

2. ¿Mis padres solo me llevarán a _____ a la feria? (mí/tí)

3. ¿Habrá alguien que se suba _____ (conmigo/mí) a la montaña
rusa? Me da un poco de miedo.

4. Quisiera hablar _____ (conmigo/ contigo) sobre los boletos para
la feria?

Algo en común *Todo junto*

Unscramble the words. Arrange them horizontally to form a vertical seven-letter word indicating a common characteristic.

iéslobb   _____

Ierfa   _____

Iozgólcoo   _____

osatdie   _____

raociu   _____

tceonrcio   _____

usmeo   _____

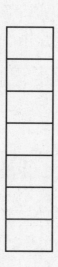

Hidden word: Para todas estas atracciones se necesitan

_____ _____ _____ _____ _____ _____ .

Completa las cruces *Lectura cultural*

Read the clue to find the words in the puzzle. The answers to each group of four clues have a common letter. Place the words in the X- puzzle that corresponds to that common letter. Then write simple sentences with the four words of each puzzle.

CLUES:

1. Donde hay muchas peceras.

2. ¿ .... Está Claudia?

3. Otra palabra para entrada

4. Plural de atracción.

1. Pretérito de comer en la tercera persona del singular

2. Viene una banda de música muy divertida al....

3. Voy de... al centro commercial.

4. Pretérito de correr en *nosotros*.

1. Otra palabra para susto (*fear*)

2. Lo que me dejas en la máquina contestadora o en el correo electrónico.

3. Terreno de alto relieve (*high altitude*)

4. Se exhiben obras de arte.

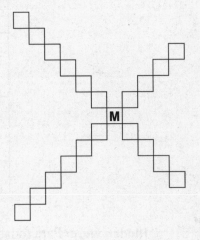

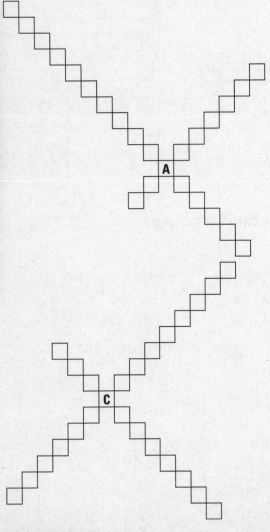

Familias de palabras *Repaso*

Circle the ten verbs in the past tense with irregular forms. Then, write the underlined
letters of the other **regular** verbs in the blanks below to find a hidden word.
Hint: State of a famous amusement park.

hizo	confirmé	hicimos	fue
pensó	lavamos	hablé	vieron
entendí	amé	hiciste	amamos
fuimos	tuvieron	fueron	habló
fuisteis	miré hubo		hablasteis

___ ___ ___ ___ ___ ___ ___

Practice Games Answer Key

PAGE 30
Práctica de vocabulario

1. teclado
2. dirección electrónica
3. cámara digital
4. disco compacto
5. ratón
6. estar en línea

PAGE 31
Vocabulario en contexto

1. mandar correos
2. utilizar ratón
3. tomar fotos
4. conectar Internet

PAGE 32
Práctica de gramática

1. 2004
2. el año pasado
3. el mes pasado
4. le semana pasada
5. hace tres días
6. anteayer
7. ayer
8. en este momento
   Hidden message: navegar por internet

PAGE 33
Gramática en contexto

Hidden word: cámara digital

Practice Games Answer Key

PAGE 34

Práctica de gramática 2

1. algún
2. nada
3. alguien
4. nadie

PAGE 35

Todo junto

1. D
2. A
3. E
4. B
5. C

PAGE 36

Lectura cultural

1. compitió
2. ofreció
3. miró
4. pensó
5. utilizó
6. transformó
7. acompañaó
8. dibujaó
9. ordenó
10. recomendó
11. alquiló

PAGE 37

Repaso

1. semana pasada
2. icono
3. teclado
4. instantaneo
5. ordenador
6. www
7. electronico
8. bajar

Practice Games Answer Key

PAGE 38

Práctica de vocabulario

PAGE 39

Vocabulario en contexto

1. al acuario y museo
2. no
3. a la feria
4. al parque de diversiones y acuario
5. no

PAGE 40

Práctica de gramática

X on fueron, hiciste, fuimos, fuisteis
O on fui, hicieron, fue, hice, hizo
Who won? O

PAGE 41

Gramática en contexto

1. falso
2. verdadero
3. falso
4. verdadero
5. verdadero
6. verdadero
7. verdadero
8. verdadero
9. falso
10. verdadero

Hidden message: premio: siete entradas gratis al parque

Practice Games Answer Key

PAGE 42
Práctica de gramática 2

1. tí
2. mí
3. conmigo
4. contigo

PAGE 43
Todo junto

1. béisbol
2. feria
3. zoológico
4. estadio
5. acuario
6. concierto
7. museo

PAGE 44
Lectura cultural

1. atracciones, acuario, aló, acceso
2. miedo, mensaje, montaña, museo
3. corrimos, concierto, compras, comí

PAGE 45
Repaso

hizo, hicimos, fue, vieron, fuimos, hiciste, tuvieron, fueron, fuisteis, hubo

Bonus: Florida

UNIDAD 7 Lección 2 Practice Games Answer Key

Video Activities *Vocabulario*

PRE-VIEWING ACTIVITY

Place a checkmark (✓) next to the sections of the newspaper that you read or look at. Briefly describe why you do or do not find each section important.

_____ los titulares _____

_____ los artículos _____

_____ los anuncios _____

_____ las fotos _____

VIEWING ACTIVITY

Before watching the video read the list of jobs. Then watch the video. Place (1) beside the jobs that Tania does, and (2) beside Victor's jobs.

_____ periodista

_____ fotógrafa

_____ entrevistar

_____ editar

_____ escribir titulares

_____ hacer preguntas

_____ investigar

Video Activities *Vocabulario*

POST-VIEWING ACTIVITY

Choose the phrase that best completes each sentence.

1. Víctor y Tania publican el periódico escolar _____ .

   a. todos los días

   b. todas las semanas

   c. una vez cada mes

2. La editora escribe _____ .

   a. los anuncios

   b. los artículos

   c. los titulares

3. En una entrevista las personas explican _____ .

   a. los titulares

   b. la presión de grupo

   c. su punto de vista

4. Mónica y María tienen _____ .

   a. una buena amistad

   b. dos periódicos

   c. la misma opinión sobre los uniformes

5. Víctor le da a Tania _____ .

   a. su uniforme

   b. su nuevo artículo

   c. las fotos para el periódico

Video Activities *Telehistoria escena 1*

PRE-VIEWING ACTIVITY

Imagine you work on the school newspaper, and answer the following questions.

1 What is the most relevant story to write about now at your school?

_____

_____

2 How many newspaper staff members do you need to work on this story?

_____

_____

3 What are three steps to writing an accurate story?

_____

_____

4 Do you want pictures or artwork for the story?

_____

_____

VIEWING ACTIVITY

Read through the list of activities below before watching the video. Then, while watching the video, check off (✓) the activities that are mentioned.

_____ publicar un periódico

_____ filmar un documental

_____ entrevistar a los profesores

_____ escribir un artículo sobre el documental

_____ pedir opiniones sobre la ropa en la escuela

_____ necesitar un fotógrafo

_____ no tener anuncios en el periódico escolar

Video Activities *Telehistoria escena 1*

POST-VIEWING ACTIVITY

Choose the word or phrase that best completes each sentence.

| el periódico | la presión de grupo | opiniones | periodista |
| fotógrafa | anuncio | publicar | mala idea |

1. Tania quiere _____ un artículo nuevo.

2. El artículo es sobre _____ y la ropa en la escuela.

3. Lorena filma un documental sobre _____ escolar.

4. Víctor es un _____ .

5. Víctor prefiere tener una _____ durante las entrevistas.

6. Tania dice que Víctor no necesita tomar fotos para el artículo. Sólo debe pedir
   _____ de los estudiantes.

7. El _____ de hoy es que los estudiantes no van a usar
   uniformes el próximo año.

8. A Lorena le parece _____ usar uniformes el próximo año.

Video Activities *Telehistoria escena 2*

PRE-VIEWING ACTIVITY

Answer the following questions.

1 Do you wear school uniforms at your school?

_____

2 What are two positive aspects of wearing a school uniform?

_____

_____

3 What are two negative aspects of wearing a school uniform?

_____

_____

4 Do you have a dress code at your school?

_____

5 Would you prefer having a dress code or a school uniform? Why?

_____

_____

VIEWING ACTIVITY

Read the following phrases before watching the video. Then, while watching the video, indicate with a checkmark (✓) whether Víctor, Raúl, or Sonia says each phrase.

Víctor	Raúl	Sonia	
_____	_____	_____	Si no usamos uniforme, vamos a tener que vestirnos con ropa de moda.
_____	_____	_____	Es preferible que lo usemos para no tener que comprar ropa nueva.
_____	_____	_____	¡Es bueno que te tengamos aquí, Lorena!
_____	_____	_____	Lorena hace un documental sobre el periódico escolar.
_____	_____	_____	¿Cuál es su punto de vista?
_____	_____	_____	¿Sobre qué son las entrevistas?
_____	_____	_____	En mi opinión, es feísimo.
_____	_____	_____	Soy periodista del periódico escolar.

Video Activities *Telehistoria escena 2*

POST-VIEWING ACTIVITY

Choose the most appropriate phrase to complete each sentence.

1. Raúl piensa que Víctor _____.

2. Primero, Víctor le dice a Raúl que _____.

3. Víctor hace _____.

4. Las entrevistas son sobre _____.

5. Raúl piensa que _____.

6. Sonia y Lorena prefieren _____.

7. Para Sonia es important que _____.

a. la cuestión del uniforme en la escuela.

b. los estudiantes no tengan mucha presión en su vida.

c. usar uniformes.

d. Lorena hace un documental sobre su vida.

e. debe hacer una entrevista para las noticias de la televisión.

f. el uniforme es una cuestión de dinero para muchos estudiantes.

g. entrevistas en la comunidad escolar.

Video Activities *Telehistoria escena 3*

PRE-VIEWING ACTIVITY

Answer the following questions.

❶ In your opinion, what makes a good reporter?

_____

_____

❷ If you could have any position on the newspaper staff, what would it be?

_____

❸ Why would you choose that position?

_____

_____

❹ When being interviewed for this position, how would you sell yourself to get the job?

_____

_____

VIEWING ACTIVITY

Read the phrases below before watching the video. Then complete the activity as you watch. Write **sí** (*yes*) next to the statements that Tania makes and **no** (*no*) next to the statements that she does not make.

_____ ¿Por qué te gusta ser editora?

_____ Me gusta presentar los opiniones de los estudiantes.

_____ Por un lado es divertido y por otro lado es poco trabajo.

_____ Por eso no estoy aquí por mucho tiempo.

_____ Hay que terminar el periódico para los jueves.

_____ Los estudiantes no tienen dinero para comprar ropa diferente todas las semanas

_____ ¿El documental es sobre lo que tú piensas?

UNIDAD 7 Lección 1

Video Activities

Unidad 7, Lección 1
Video Activities

56

¡Avancemos! 2
Unit Resource Book

Video Activities *Telehistoria escena 3*

POST-VIEWING ACTIVITY

Indicate whether each sentence is true (T) or false (F).

1. Para Tania, ser editora significa mucho trabajo. T F

2. Lorena entrevista a Tania sobre la cuestión del uniforme. T F

3. Es importante que Tania termine el periódico a las cinco cada jueves. T F

4. El titular del periódico de hoy es «Los estudiantes no quieren uniformes!» T F

5. Lorena está de acuerdo con la opinión de los estudiantes. T F

6. Tania dice que Lorena debe hacer un documental sobre la vida escolar. T F

Video Activities *Vocabulario*

PRE-VIEWING ACTIVITY

Write a short paragraph about the important people in your life and how they are related to you. Briefly describe each person's personality. Do you have any in-laws? What are they like? Do you have any pets?

_____

_____

_____

_____

_____

VIEWING ACTIVITY

Read the following list of people. While you watch the video, indicate with a checkmark (✓) which of the people appears in the video.

_____ **1.** el esposo

_____ **2.** los novios

_____ **3.** el sobrino

_____ **4.** la esposa

_____ **5.** el cuñado

_____ **6.** la suegra

_____ **7.** el suegro

_____ **8.** el padrino

_____ **9.** la cuñada

_____ **10.** la madrina

Video Activities *Vocabulario*

POST-VIEWING ACTIVITY

Match the phrases from the columns below to make correct statements.

1. Los padres de Lorena ____.

2. Su hermana, Cecilia ____.

3. José ____.

4. La suegra de Cecilia ____.

5. Los padrinos de Lorena ____.

6. El pájaro y el gato ____.

a. era popular en la escuela.

b. no se llevan bien.

c. es el cuñado de Lorena.

d. están orgullosos de ella.

e. se llevan bien.

f. es muy generosa.

Video Activities *Telehistoria escena 1*

PRE-VIEWING ACTIVITY

Think of the last time you ran errands. In the space provided write everywhere you went and everything you did that day. Then answer the following questions.

_____

_____

_____

_____

_____

_____

❶ Do you usually run errands alone?

_____

❷ If you don't go alone, who usually goes with you?

_____

VIEWING ACTIVITY

Read the following sentences before watching the video. Then, while you watch the video, indicate whether each sentence is true (T) or false (F).

1. La madre de Lorena tiene mucha prisa.   T   F

2. La madre de Lorena tiene que hacer muchas cosas.   T   F

3. Lorena quiere entrevistar a su madre.   T   F

4. La madre de Lorena quiere hablar de su esposo pero no puede.   T   F

5. La película que filma Lorena es sobre un periódico de familias.   T   F

6. Todos los parientes en la familia de Lorena se llevan bien.   T   F

7. La madre de Lorena y su suegra se entienden bien.   T   F

Video Activities *Telehistoria escena 1*

POST-VIEWING ACTIVITY

Choose the word(s) that best complete(s) each sentence.

al correo	**una cita**	**orgullosa**	**parientes**	**padre**
quedarse	**una amiga**	**el consultorio**	**se llevan**	

1. La madre no puede _____ a hablar con su hija.

2. Primero su madre tiene que ir al banco y _____.

3. Luego su madre va de compras con _____.

4. La madre de Lorena también tiene _____ con el doctor.

5. Su madre va a ver a su doctor en _____ a la una.

6. Lorena piensa que su madre va a estar _____ si ella gana el premio.

7. Lorena quiere saber más de su _____.

8. La madre de Lorena dice que sus _____ son simpáticos.

9. La gente dice que las mujeres no _____ bien con sus suegras.

Video Activities *Telehistoria escena 2*

PRE-VIEWING ACTIVITY

List the names of your relatives below. Then answer the following question.

aunt(s):

_____

uncle(s):

_____

cousin(s):

_____

grandparent(s):

_____

Do you have any other relatives not mentioned above, and if so, how are they related?

_____

_____

VIEWING ACTIVITY

Read the phrases below before watching the video. Then complete the activity as you watch. Write **sí** (*yes*) next to the statements that Tomás makes and **no** (*no*) next to the statements that he does not make.

_____ Soy más viejo que el sol.

_____ Tus padres son más viejos que yo.

_____ Tu madre no era muy paciente.

_____ Tu madre era muy contenta.

_____ Le gustaba salir con muchachos más que estudiar.

_____ Tu padre era tan sincero como los otros muchachos en la escuela.

_____ El novio de tu madre era menos serio que tu padre.

Video Activities *Telehistoria escena 2*

POST-VIEWING ACTIVITY

Complete each sentence with the most appropriate phrase.

1. Tomás es menor que _____.

    a. el padrino de Lorena.

2. La madre de Lorena es _____.

    b. un novio que se llamaba Alfonso.

3. Tomás es _____.

    c. muy tímido.

4. La madre de Lorena era muy popular _____.

    d. cuando era niña.

5. El padre de Lorena era _____.

    e. los padres de Lorena.

6. La madre de Lorena tenía _____.

    f. la sobrina de Tomás.

Video Activities *Telehistoria escena 3*

PRE-VIEWING ACTIVITY

Answer the following questions about soap operas.

1 Do you watch soap operas?

_____

2 If so, why? If not, why not?

_____

3 Create a short plot for a soap opera episode involving a family.

_____

_____

_____

_____

VIEWING ACTIVITY

Read the following phrases before watching the video. Then, while watching the video, indicate with a checkmark (✓) each phrase that you hear.

_____ Mi madre era la más popular del barrio.

_____ Mi padre era el más serio.

_____ ¿Cómo se casaron?

_____ ¿Quién era el novio secreto de mi madre?

_____ ¿No estás de acuerdo?

_____ Parece que mi hermana y mi suegro tienen un secreto.

_____ ¡Voy a tener cuñado!

_____ ¡Me voy a enojar!

_____ Esta familia tiene secretos interesantes.

UNIDAD 7 Lección 2

Video Activities

64

Unidad 7, Lección 2
Video Activities

¡Avancemos! 2
Unit Resource Book

Video Activities *Telehistoria escena 3*

POST-VIEWING ACTIVITY

Circle the word(s) that best complete(s) each sentence.

1. El documental de Lorena es sobre los secretos (menos/más) grandes de su familia.

2. La madre de Lorena era la chica (menos/más) popular del barrio.

3. El padre de Lorena era (menos/más) tímido que los otros muchachos.

4. José habla de la (mejor/peor) noticia de su vida.

5. La hermana de Lorena dice que lo (menos/más) difícil es no decirle nada a nadie.

6. Lorena dice que (no hay/hay) más secretos por conocer de su familia.

Video Activities *El Gran Desafío*

PRE-VIEWING ACTIVITY

Imagine you and a friend have to interview a local artist about his or her routine and then write a newspaper article about the artist. Write four questions you would ask the artist in order to learn more about his or her life.

1 _____

_____

_____

2 _____

_____

3 _____

_____

4 _____

_____

VIEWING ACTIVITY

Before watching the video read the list of types of articles below. Then watch the video. Place a checkmark (✓) next to the type of article each team presents to Profesor Dávila.

Luis y Ana presentan...

_____ un anuncio.

_____ un artículo de investigación.

_____ un trabajo fotográfico.

Carlos y Marta presentan...

_____ un artículo de opinión.

_____ un trabajo fotográfico.

_____ las noticias del día.

Raúl y Mónica presentan...

_____ las noticias del día.

_____ un anuncio.

_____ un artículo de investigación.

Video Activities *El Gran Desafío*

POST-VIEWING ACTIVITY

Choose the word or phrase that best completes each sentence.

1. _____ de Luis trabaja con la artesanía.
   a. La cuñada
   b. El padrino
   c. El novio

2. Don Alberto es pintor y también _____.
   a. escultor
   b. periodista
   c. trabaja con la cerámica

3. Para don Alberto _____ de doña María sobre cuestiones del arte son muy importantes.
   a. la limpieza
   b. las opiniones
   c. los artículos

4. Según don Alberto trabajar con cerámica _____.
   a. es fácil y divertido
   b. es divertido, pero no es fácil
   c. es un lío, pero muy fácil

5. Mónica y Raúl ganan el desafío porque _____.
   a. describieron la rutina del artista
   b. sacaron una foto muy buena del artista
   c. aprendieron a trabajar con la cerámica

Have you ever worked with clay? Write a short paragraph explaining why you would or would not enjoy working with clay. Do you think Marta's reaction in this episode was justified?

_____

_____

_____

_____

_____

_____

Video Activities Answer Key

VOCABULARIO, pp. 50–51

PRE-VIEWING ACTIVITY

Answers will vary. Possible answers:
los titulares: I read the headlines to know what's going on. **los artículos:** I usually don't read the articles because I don't have a lot of time. **los anuncios:** I look at the ads to see where the sales are. **las fotos:** I look at the photos to see if anyone I know is in the news.

VIEWING ACTIVITY

1. fotógrafa; editar; escribir titulares
2. periodista; entrevistar; hacer preguntas; investigar

POST-VIEWING ACTIVITY

1. b
2. c
3. c
4. a
5. b

TELEHISTORIA ESCENA 1, pp. 52–53

PRE-VIEWING ACTIVITY

Answers will vary. Possible answers: **1.** The most topical story right now would be whether or not to have a school ice hockey team. **2.** I might need four people: three people to do the interviews and writing and one person to take the pictures. **3.** I need to interview students and the PE staff, take pictures of the people I interview, and write and edit the story. **4.** I want pictures for the story.

VIEWING ACTIVITY

Checkmarks: filmar un documental; pedir opiniones sobre la ropa en la escuela; necesitar un fotógrafo

POST-VIEWING ACTIVITY

1. publicar
2. la presión de grupo
3. el periódico
4. periodista
5. fotógrafa
6. opiniones
7. anuncio
8. mala idea

TELEHISTORIA ESCENA 2, pp. 54–55

PRE-VIEWING ACTIVITY

Answers will vary. Possible answers:
1. No, we do not wear school uniforms. **2.** You don't have to buy clothes for school. It doesn't take you as long to get ready for school because you don't have to decide what to wear. **3.** You can't express yourself personally with what you wear. Wearing the same uniform every day can become very boring. **4.** Yes, we have a dress code at our school. **5.** I prefer having a dress code because you still can express yourself through what you wear.

VIEWING ACTIVITY

Sonia: Si no usamos uniforme, vamos a tener que vestirnos con ropa de moda. **Víctor:** ¡Es bueno que te tengamos aquí, Lorena! Lorena hace un documental sobre el periódico escolar. ¿Cuál es su punto de vista? Soy periodista del periódico escolar. **Raúl:** Es preferible que lo usemos para no tener que comprar ropa nueva. ¿Sobre qué son las entrevistas? En mi opinión, es feísimo.

POST-VIEWING ACTIVITY

1. e
2. d
3. g
4. a
5. f
6. c
7. b

TELEHISTORIA ESCENA 3, pp. 56–57

PRE-VIEWING ACTIVITY

Answers will vary. Possible answers:

1. A reporter who writes in a completely non-biased manner. **2.** I would be the school photographer. **3.** I would be the photographer because I am good at taking pictures. **4.** I will show the interviewer my photos and talk about my strong work ethic.

VIEWING ACTIVITY

No: ¿Por qué te gusta ser editora? Por un lado es divertido y por otro lado es poco trabajo. Por eso no estoy aquí por mucho tiempo. Los estudiantes no tienen dinero para comprar ropa diferente todas las semanas.

Sí: Me gusta presentar los opiniones de los estudiantes. Hay que terminar el periódico para los jueves. ¿El documental es sobre lo que tú piensas?

POST-VIEWING ACTIVITY

1. T
2. F
3. T
4. F
5. T
6. F

Video Activities Answer Key

VOCABULARIO, pp. 58–59

PRE-VIEWING ACTIVITY

Answers will vary.

VIEWING ACTIVITY

Checkmarks: 1, 2, 4, 5, 6, 8, 10

POST-VIEWING ACTIVITY

1. e   2. a
3. c   4. f
5. d   6. b

TELEHISTORIA ESCENA 1, pp. 60–61

PRE-VIEWING ACTIVITY

Answers will vary.

1. Answers will vary.
2. Answers will vary.

VIEWING ACTIVITY

1. T
2. T
3. T
4. F
5. F
6. T
7. F

POST-VIEWING ACTIVITY

1. quedarse
2. al correo
3. una amiga
4. una cita
5. el consultorio
6. orgullosa
7. padre
8. parientes
9. se llevan

TELEHISTORIA ESCENA 2, pp. 62–63

PRE-VIEWING ACTIVITY

Answers will vary.

VIEWING ACTIVITY

Sí: Soy más viejo que el sol. Tu madre no era muy paciente. Tu madre era muy contenta. Le gustaba salir con muchachos más que estudiar. El novio de tu madre era menos serio que tu padre. **No:** Tus padres son más viejos que yo. Tu padre era tan sincero como los otros muchachos en la escuela.

POST-VIEWING ACTIVITY

1. e
2. f
3. a
4. d
5. c
6. b

TELEHISTORIA ESCENA 3, pp. 64–65

PRE-VIEWING ACTIVITY

Answers will vary.

VIEWING ACTIVITY

Checkmarks: Mi madre era la más popular del barrio. ¿Cómo se casaron? ¿Quién era el novio secreto de mi madre? ¡Me voy a enojar! Esta familia tiene secretos interesantes.

POST-VIEWING ACTIVITY

1. más
2. más
3. más
4. mejor
5. más
6. hay

EL GRAN DESAFÍO, pp. 66–67

PRE-VIEWING ACTIVITY

Answers will vary.

VIEWING ACTIVITY

un trabajo fotográfico; un artículo de opinión; un artículo de investigación

POST-VIEWING ACTIVITY

1. b
2. c
3. b
4. b
5. a

Answers will vary.

Video Scripts

VOCABULARIO

Tania: ¡Hola! Me llamo Tania.

Víctor: Y yo soy Víctor. Éste es el periódico escolar.

Tania: Lo publicamos todas las semanas. Yo soy escritora. También soy fotógrafa. Y, editora.

Víctor: Les explico: el editor o la editora dice cuáles artículos vamos a publicar en el periódico. También escribe los titulares.

Tania: Víctor es periodista. Hoy, él entrevista a dos amigas.

Víctor: Hola. Hago una entrevista sobre los uniformes y la presión de grupo.

Tania: El periodista hace preguntas, y las personas explican su punto de vista, o dan su opinión.

Víctor: Primero, explícame ¿por qué ustedes son amigas?

María: Somos amigas porque estamos de acuerdo siempre.

Víctor: Describe tu amistad con ella.

Mónica: Es una buena amistad. Somos muy buenas amigas. Nos gusta mucho estudiar, hablar, salir a pasear...

María: No sólo eso, sino también nos encanta la ropa que está de moda. ¿Estás de acuerdo con eso?

Tania: El periodista siempre investiga para escribir sus artículos.

Víctor: Hmm. ¿Están siempre de acuerdo?

María & Mónica: ¡Sí!

Víctor: ¿Entonces, ¿qué piensan sobre la cuestión de usar uniforme en la escuela? ¿Les gusta?

María: No.

Mónica: Sí.

Víctor: ¿Cuál es tu punto de vista?

Mónica: Por un lado, me gusta la ropa de moda. Pero por otro lado, me gusta usar uniforme en la escuela. Con el uniforme, no tenemos que pensar todos los días en la ropa que nos vamos a poner. No tenemos la presión de vestirnos siempre con ropa de moda.

Víctor: ¿Y cuál es tu opinión?

María: ¡No me gusta el uniforme! Prefiero vestirme de moda.

Víctor: Gracias por la entrevista. Tania, aquí está mi nuevo artículo.

TELEHISTORIA ESCENA 1

Tania: Quiero publicar un artículo sobre la presión de grupo y la ropa en la escuela. Lorena, ¿qué estás haciendo?

Lorena: Estoy filmando para mi documental. Es sobre el periódico escolar.

Tania: Víctor, tú eres nuestro periodista. ¿Puedes entrevistar a algunos estudiantes?

Víctor: Sí, ¿pero voy a necesitar un fotógrafo o una fotógrafa?

Tania: No. Sólo debes pedir opiniones sobre la noticia de que no vamos a usar uniforme el próximo año.

Video Scripts

Lorena: ¡Qué mala idea! Los estudiantes van a tener que ponerse ropa diferente todos los días.

Tania: Bueno, ahora tenemos la opinión de la directora del documental.

TELEHISTORIA ESCENA 2

Víctor: ¿Puedo hacerles una pregunta?

Raúl: ¿Para las noticias de la televisión?

Víctor: No, soy periodista del periódico escolar. Ella está haciendo un documental sobre mi vida. No, no. Lorena va a hacer un documental sobre el periódico de la escuela. Y yo estoy haciendo entrevistas en la comunidad escolar.

Raúl: Y las entrevistas, ¿sobre qué son?

Víctor: Son sobre la cuestión del uniforme. ¿Cúal es su punto de vista? ¿Les gusta el uniforme, o prefieren no usarlo el próximo año?

Raúl: No me gusta el uniforme. En mi opinión, es muy feo. Sin embargo, es preferible que lo usemos para no tener que comprar mucha ropa nueva. Es [una] cuestión de dinero para muchos estudiantes.

Sonia: A mí me gusta el uniforme. Si no usamos uniforme, todos los días vamos a tener que vestirnos con ropa de moda. Es importante que no tengamos esa presión porque ya tenemos mucha presión en nuestras vidas.

Lorena: ¡Estoy de acuerdo contigo! Te dije que a los estudiantes no les iba a gustar la idea.

Víctor: ¡Es bueno que te tengamos aquí para explicar qué piensa todo el mundo!

TELEHISTORIA ESCENA 3

Lorena: ¿Puedes explicar por qué te gusta ser la editora del periódico?

Tania: Porque me gusta investigar sobre los problemas escolares y presentar las opiniones de los estudiantes. Por un lado es divertido. Pero por otro lado...

Lorena: ¿Por otro lado...?

Tania: Por otro lado es mucho trabajo. Siempre tenemos que terminar el periódico para los jueves a las cinco. Y por eso siempre estoy aquí por mucho tiempo después de las clases.

Lorena: ¿Cuál es el titular del periódico de hoy?

Tania: ¡Los estudiantes quieren uniformes!

Lorena: ¡Sí! ¡Los uniformes no sólo son más bonitos, sino también más baratos! Los estudiantes no tienen dinero para comprar ropa diferente todas las semanas y...

Tania: ¡Lorena! ¡Para una directora... tú hablas mucho! ¿El documental es sobre el periódico, o sobre lo que tú piensas?

Lorena: Perdón, pero también tengo mis opiniones.

Tania: Pues por eso tal vez debes hacer una película sobre tu vida.

Video Scripts

VOCABULARIO

¡Hola! Me llamo Lorena, y mi apellido es Muñiz. Aquí tengo fotos de algunas de las personas más importantes en mi vida. Éstos son mis padres. Mi padre es paciente pero mi madre es impaciente. Pero se llevan bien. Ésta es Cecilia, mi hermana. Era la muchacha más popular en la escuela. Éste es José, el esposo de mi hermana. Eran novios en la escuela. Se casaron hace tres años y ahora Cecilia es la esposa de José. José es mi cuñado. Esta señora es la madre de José. Es la suegra de Cecilia. Ella es muy generosa. Siempre nos trae regalos. Y aquí está Tomás, el tío de mi mamá, con su esposa. Y ésta soy yo de niña. Él es mi padrino y ella mi madrina. Parecen muy orgullosos de mí, ¿verdad? Aquí están mis compañeras de equipo con la entrenadora de fútbol. No son mis parientes, pero somos muy buenas amigas. ¡Somos como hermanas! Y éstos son mi gato, mi pájaro y mi pez... ¡El gato y el pájaro son los únicos en la familia que no se llevan bien! ¡Ahora conocen a las personas más importantes de mi vida! ¡Adiós!

TELEHISTORIA ESCENA 1

Lorena: ¡Por favor, mami! ¡Sólo diez minutos!

Madre: No puedo quedarme a hablar contigo. Primero, necesito ir al banco y al correo. Luego, tengo una cita con el doctor. Tengo que estar en el consultorio como a la una. Y después voy de compras con una amiga mía.

Lorena: Pero yo tengo que hacer la película. Si gano el premio, vas a estar muy orgullosa de mí, ¿no? Ahora, háblame sobre tu esposo. ¿Cómo es?

Madre: Es tu padre. Pregúntale a él. Esta película tuya, es sobre un periódico, ¿no?

Lorena: Ahora no. Ahora se llama «Mi vida en la República Dominicana» y es un documental sobre nuestra familia, nuestra historia y nuestros problemas.

Madre: Todos nuestros parientes son muy simpáticos y nos llevamos muy bien. No tenemos problemas.

Lorena: La gente dice que las mujeres no se llevan bien con sus suegras. ¿Discutes mucho con tu suegra?

Madre: Claro que no. Tu abuela es una mujer muy sincera y muy generosa. Nos entendemos bien. Ahora me tengo que ir.

TELEHISTORIA ESCENA 2

Tomás: Soy más viejo que el sol. Tus padres son mucho más jóvenes que yo. Tú sabes que tu madre es mi sobrina.

Lorena: Sí, ya sé, padrino. ¿Cómo era mi madre cuando era niña?

Tomás: Era tan impaciente como tú. ¡Pero era muy contenta, muy popular! Le gustaba salir con muchachos más que estudiar.

Lorena: ¿Mi mamá? ¡Esto es mejor que una película!

Tomás: Tu padre era tímido, pero muy sincero—más sincero que los otros muchachos en la escuela. El novio de tu madre...ése, era menos serio que tu padre y...

Lorena: ¿EL NOVIO DE MAMI? ¿Quién era?

Video Scripts

Tomás: Alfonso..., hombre, Alfonso. ¿Cuál era su apellido?

Madre: ¡Tomás! ¿Qué le estás diciendo a Lorena? Me voy a enojar. Eres peor que un niño. Y tú, ¡nada de películas sobre la familia!

TELEHISTORIA ESCENA 3

Lorena: Me llamo Lorena Muñiz. Y esta película es sobre los secretos más grandes de mi familia. Mi madre era la muchacha más popular del barrio y mi padre el muchacho más tímido. ¿Cómo se casaron? ¿Quién era el novio secreto de mi madre? Ahora aún tengo que saber más. Mi pez: ¿tiene secretos?

José: ¡Ésta es la mejor noticia de mi vida!

Cecilia: Sí, pero no se lo vamos a decir a nadie todavía, ¿tú estás de acuerdo?

Lorena: Parece que mi hermana y mi cuñado tienen un secreto.

José: Está bien. Estoy de acuerdo.

Cecilia: Lo más difícil es no poder decirle nada a nuestra familia ahora...

Lorena: ¡Voy a tener un sobrino!

Cecilia: ¡Lorena! ¡Lorena! ¿Qué estás haciendo? ¡Abre la puerta! ¡Lorena! ¡Me voy a enojar!

Lorena: Parece que esta familia tiene muchos secretos interesantes. Ahora ¡hay mucho más por conocer!

COMPARACIÓN CULTURAL VIDEO
EL GRAN DESAFÍO

Profesor Dávila: Jóvenes, en el desafío de hoy deben entrevistar a un artista mexicano y luego escribir un artículo sobre su vida aquí, en México.

Carlos: ¿Sobre su vida? ¿Tenemos que investigar toda su vida?

Profesor Dávila: No, sólo deben describir la rutina de un artista mexicano.

Luis: Profesor, ¿el artista puede ser un pariente? Porque, mi padrino trabaja con la artesanía y también el novio de su cuñada trabaja con esculturas.

Raúl: ¿Cómo? ¿Cómo? ¿El padrino de la novia de su cuñado?

Luis: No, no. Es el...

Profesor Dávila: Luis, es preferible que entrevisten a un artista que yo conozco. Él es pintor pero también trabaja la cerámica mexicana. Su apellido es Monagas. ¿Alguna pregunta? Muy bien, entonces yo me tengo que ir ahora. Nos vemos aquí al final de la entrevista.

Ana: ¡Pero...! El profesor no dijo a quién tenemos que entrevistar ¿no?

Mónica: Sí, creo que dijo el apellido del artista.

Raúl: Sí él dijo que el apellido es González.

Carlos: ¿De qué hablas Raúl?, era Mendoza.

Niña: Oye, ¿puedo ver esas copias? Sí, ésas que tienen el titular de "Expresión artística".

Raúl: Sí claro. Bueno, pero, la cuestión es cómo hacemos una entrevista a alguien que no sabemos su nombre.

Niña: Disculpa, ¿me puedes recoger esos papeles con el anuncio de pinturas mexicanas?

Video Scripts

Ana: Es preferible que llamemos al profesor ¿No creen? ¿Vamos?

Marta: ¡Un momento! ¡Miren! ¿Nos puede dar una de estas copias?

Raúl: ¿Qué le pasa?

Ana: Tenemos que entrevistar a Don Alberto Monagas. Sí, ése era su apellido "Monagas".

Raúl: Eh, ¿adónde van?

Ana: Tenemos que hacer una entrevista. Adiós.

Doña María: Buenos días. ¿Los puedo ayudar?

Mónica: Buenos días. Tenemos una cita con don Alberto. Para una entrevista.

Doña María: ¿Una entrevista? ¡Ah! ¡Claro que sí! El profesor me habló de ustedes. Pasen.

Doña María: Un momento por favor. Voy a llamar a mi esposo.

Don Alberto: Buenos días.

Raúl: Buenos días.

Mónica: Buenos días, don Alberto.

Doña María: Con permiso.

Marta: Buenos días.

Doña María: ¿Vienen para la entrevista? Pasen. Por favor esperen aquí.

Mónica: Y ¿cómo es la rutina de un artista?

Don Alberto: Muy normal. Me gusta pintar todas las mañanas; por la tardes, mi esposa y yo trabajamos con la cerámica.

Mónica: Su esposa, doña María, ¿es artista también?

Don Alberto: Sí. Mi esposa es una artista muy buena. Nuestro arte es muy diferente, pero eso no es un problema. Nos llevamos muy bien. Tenemos una buena amistad.

Mónica: Y la opinión de doña María en cuestión de arte. ¿Qué pasa cuando ella no está de acuerdo con usted?

Don Alberto: Bueno, su opinión es muy importante para mí. Creo que las personas pueden discutir su punto de vista sin enojarse. Especialmente en cuestión de arte.

Raúl: ¿Una foto?

Don Alberto: Sí, claro.

Mónica: Muchas gracias don Alberto.

Raúl: Pero mire, mis manos están limpias.

Marta: ¡Qué asco!

Carlos: Parece fácil don Alberto. ¿Cuándo lo aprendió usted?

Don Alberto: Hace muchos años. Pero no es tan fácil... Puede ser divertido, pero no es fácil.

Don Alberto: Lo más importante es ser paciente. Y ¿tu entrevista?

Marta: Ah bueno, nos tenemos que ir. Gracias, don Alberto.

Carlos: Marta, tenemos que hacer la entrevista.

Marta: Carlos, yo soy la escritora del equipo. Yo pienso en algo para el artículo y tú vé a lavarte las manos. Te espero afuera.

Carlos: Sí, pero...

Marta: Te espero afuera.

Profesor Dávila: Muy bien, es hora de presentar sus artículos.

Ana: Profesor, el nuestro es un trabajo fotográfico.

Video Scripts

Profesor Dávila: Pero ¿este artículo explica la rutina de don Alberto, o es sólo la opinión de ustedes?

Carlos: Es nuestro punto de vista, profesor.

Profesor Dávila: Muy bien. Todos presentaron un artículo, sin embargo, sólo voy a publicar uno. Sólo el artículo de Mónica y Raúl describe la rutina del artista, ¡Felicitaciones! Ustedes ganaron este desafío.

Audio Scripts

PRESENTACIÓN DE VOCABULARIO

Level 2 Textbook pp. 366–367

TXT CD 8, Track 1

A. ¡Hola! Soy Tania y trabajo para *La Semana*, el periódico de nuestra escuela. Publicamos artículos sobre cuestiones importantes para los estudiantes. Es necesario que nuestro periodista, Víctor, entreviste a diferentes estudiantes para saber sus opiniones.

B. Es importante que nosotros trabajemos juntos para investigar una idea, presentarla y explicarla bien en el periódico. Por eso el papel de cada uno de nosotros es importante. El escritor y el periodista escriben los artículos. Yo, como editora, no sólo trabajo con ellos, sino también con nuestra fotógrafa. Ella toma todas las fotos para los artículos.

C. Es preferible que nuestro periódico presente mucha información. Presentamos entrevistas y opiniones, pero también publicamos noticias importantes de la escuela y anuncios.

D. Esta semana hay un artículo sobre la presión de grupo y cómo es difícil para los jóvenes. Otro es sobre la amistad y se llama «Los amigos: ¿Por qué son importantes?».

E. Nuestro periódico es para toda la comunidad escolar. Por eso, es bueno que cada estudiante tenga la oportunidad de describir su punto de vista sobre la vida y de leer los puntos de vista de los otros. A veces no estamos de acuerdo con las ideas. Sin embargo, es necesario que publiquemos todas.

¡A RESPONDER!

Level 2 Textbook p. 367

TXT CD 8, Track 2

Escucha las siguientes oraciones. Si escuchas un hecho, señala con la mano hacia arriba. Si escuchas una opinión, señala con la mano hacia abajo.

1. La editora y el escritor trabajan en el periódico.

2. Es bueno que el periódico tenga información para los estudiantes.

3. No estoy de acuerdo con Víctor. No debemos llevar uniformes.

4. Los titulares y los artículos son partes del periódico.

5. Es malo que nuestro colegio no tenga periódico.

6. El periodista presenta el punto de vista de la persona de la entrevista.

TELEHISTORIA ESCENA 1

Level 2 Textbook p. 369

TXT CD 8, Track 3

Tania: Quiero publicar un artículo sobre la presión de grupo y la ropa en la escuela. Lorena, ¿qué estás haciendo?

Lorena: Filmando para mi documental. Es sobre el periódico escolar.

Tania: Víctor, tú eres nuestro periodista. ¿Puedes entrevistar a algunos estudiantes?

Víctor: Sí, pero voy a necesitar un fotógrafo o una fotógrafa.

Tania: No. Sólo debes pedir opiniones sobre la noticia de que no vamos a usar uniforme el próximo año.

Lorena: ¡Qué mala idea! Los estudiantes van a tener que ponerse ropa diferente todos los días.

Tania: Bueno, ahora sabemos la opinión de la directora del documental.

PRONUNCIACIÓN

Level 2 Textbook p. 372

TXT CD 8, Track 4

Las letras **b** y **v**

In Spanish the letters **b** and **v** are pronounced almost the same. As the first letter of a word, at the beginning of a sentence, or after the letters **m** or **n**, they are pronounced like the hard **b** of the English word *balloon*. Listen and repeat.

bueno em**b**argo **v**amos in**v**estigar

In the middle of a word, a softer sound is made. To make this sound, keep your lips slightly apart. Listen and repeat.

sa**b**emos entre**v**ista le**v**anta Boli**v**ia

TELEHISTORIA ESCENA 2

Level 2 Textbook p. 374

TXT CD 8, Track 5

Víctor: ¿Puedo hacerles una pregunta?

Raúl: ¿Para las noticias de la televisión?

Víctor: No, soy periodista del periódico escolar. Ella está haciendo un documental sobre mi vida. No, no. Lorena va a hacer un documental sobre el periódico de la escuela. Yo estoy haciendo entrevistas en la comunidad escolar.

Raúl: Y las entrevistas, ¿sobre qué son?

Víctor: Son sobre la cuestión del uniforme. ¿Cuál es su punto de vista? ¿Les gusta el uniforme, o prefieren no usarlo el próximo año?

Raúl: No me gusta el uniforme. En mi opinión, es muy feo. Sin embargo, es preferible que lo usemos para no tener que comprar mucha ropa nueva. Es una cuestión de dinero para muchos estudiantes.

Sonia: A mí me gusta el uniforme. Si no usamos uniforme, todos los días vamos a tener que vestirnos con ropa de moda. Es importante que no tengamos esa presión porque ya tenemos mucha presión en nuestras vidas.

Lorena: ¡Estoy de acuerdo contigo! Te dije que a los estudiantes no les iba a gustar la idea.

Víctor: ¡Es bueno que te tengamos aquí para explicar qué piensa todo el mundo!

ACTIVIDAD 10 - UNA ENTREVISTA

Level 2 Textbook p. 375

TXT CD 8, Track 6

Escucha esta entrevista entre un periodista y dos jóvenes, Micaela y Sergio. En otro papel escribe quién da cada opinión.

Periodista: Micaela, ¿nos puedes dar tu opinión sobre la presión de grupo? ¿Es un problema en nuestra escuela?

Micaela: Es importante que hablemos de la presión de grupo porque es un problema muy grande. Te lo juro.

Periodista: ¿Estás de acuerdo Sergio?

Sergio: Por un lado, estoy de acuerdo con Micaela. No es bueno que haya mucha presión de grupo. Pero por otro lado yo creo que la presión no es un problema muy grande en nuestra escuela.

Periodista: Micaela, ¿puedes explicar tu punto de vista un poco más?

Micaela: Cómo no. Es que nadie quiere ser diferente. Nuestra ropa y nuestras actividades son muy similares. ¿Y por qué? Por la presión de grupo.

Periodista: Sergio, ¿qué piensas tú?

Sergio: En mi opinión mis amigos y yo somos todos muy diferentes y eso está bien. Somos únicos. Para mí, no hay ningún problema.

Periodista: Dos estudiantes con dos puntos de vista. ¿Y tú? ¿Cuál es tu opinión?

TELEHISTORIA COMPLETA

Level 2 Textbook p. 379

TXT CD 8, Track 7

Escena 1–Resumen

Tania, la editora del periódico escolar, y Víctor, el periodista, están preparando la próxima edición. Lorena quiere hacer un documental sobre su trabajo.

Escena 2–Resumen

Víctor pasa por la escuela para entrevistar a los estudiantes sobre la cuestión del uniforme. Lorena está con él y filma las entrevistas.

Escena 3

Lorena: ¿Puedes explicar por qué te gusta ser la editora del periódico?

Tania: Porque me gusta investigar sobre los problemas escolares y presentar las opiniones de los estudiantes. Por un lado es divertido. Pero por otro lado...

Lorena: ¿Por otro lado?

Tania: Por otro lado es mucho trabajo. Siempre tenemos que terminar el periódico para los jueves a las cinco. Y por eso siempre estoy aquí por mucho tiempo después de las clases.

Lorena: ¿Cuál es el titular del periódico de hoy?

Tania: «¡Los estudiantes quieren uniformes!»

Lorena: ¡Sí! ¡Los uniformes no sólo son más bonitos, sino también más baratos! Los estudiantes no tienen dinero para comprar ropa diferente todas las semanas y...

Tania: ¡Lorena! ¡Para una directora tú hablas mucho! ¿El documental es sobre el periódico, o sobre lo que tú piensas?

Lorena: Perdón, pero también tengo mis opiniones.

Tania: Pues por eso tal vez debes hacer una película sobre tu vida.

ACTIVIDAD 18 - INTEGRACIÓN

Level 2 Textbook p. 381

TXT CD 8, Track 8

Trabajas para el periódico escolar. Escucha el mensaje del periodista y explícale al editor cómo hay que editar el artículo según la información que te da. ¿Qué otros detalles puede investigar el periodista?

Audio Scripts

FUENTE 2

TXT CD 8, Track 9

Listen and take notes

¿Por qué hace Simón todas estas actividades?

¿Cómo conoce Sandra a Simón?

¿Cuándo le dieron el premio?

Hola. Acabo de entrevistar a Simón y tengo más información. Primero, él me explicó por qué hace tantas cosas buenas. En su opinión, es necesario que todos ayudemos a la gente que lo necesite. Si no, ¿quién nos va a ayudar si nosotros necesitamos ayuda? Segundo, es necesario que expliquemos quién es Sandra Esquivel. Ella vive cerca de Simón y es la directora de la organización Comunidades Activas. Ella le presentó el premio el sábado en una fiesta. Finalmente, le tomé una foto a Simón con su premio. Es preferible que la usemos. ¡A ver lo que dice la editora!

LECTURA CULTURAL: ¡AYÚDAME, PAULINA!

Level 2 Textbook pp. 382–383

TXT CD 8, Track 10

Este artículo es de la página de opiniones y consejos de un periódico. Una estudiante presenta un problema y busca los consejos. Luego, la escritora Paulina Pensativa le responde.

Querida Paulina. Consejos para los jóvenes de hoy.

Querida Paulina: Me llamo Neomi. Tengo quince años y vivo en Salcedo. El verano pasado mi familia y yo nos mudamos aquí de Santo Domingo. En mi liceo de antes era muy estudiosa. Iba a todas mis clases, siempre hacía la tarea y sacaba buenas notas. Me gustaban todas las materias. También tenía buenas amigas y practicaba deportes.

Pero después de mudarme aquí, algo cambió. En mi nuevo liceo, las clases ya no me interesan. Me encuentro muy aburrida en el aula y sin ganas de estudiar. A veces no estoy de acuerdo con lo que dicen los maestros, y no les escucho bien. Para mí es difícil no sólo ir al liceo, sino también quedarme allí por todo el día.

Hace poco tiempo dejé de hacer la tarea y de ir a algunas clases. Ahora estoy empezando a reprobar materias. Los maestros me dicen que si no vuelvo a estudiar voy a tener que repetir curso. Por eso pienso dejar el liceo.

Lo único que me interesa es el arte. Soy artística y me encanta dibujar. Prefiero pasar el día dibujando un retrato, no tomando un examen. Pero mis padres dicen que es importante que yo me quede en el liceo. No sé qué hacer. ¡Ayúdame, por favor!

Paulina: Me parece que todavía no estás adaptada a tu nuevo liceo. Antes estabas contenta entre todas las personas que conocías. Todavía no conoces ni el lugar donde te encuentras ni a la gente que son tus compañeros. Es necesario que seas paciente. Te vas a adaptar; es una cuestión de tiempo.

Sin embargo, si no te gustan las clases, es bueno que hables con tus maestros. Explícales tu punto de vista y te aseguro que ellos te van a escuchar. Tal vez enseñan cosas que ya aprendiste. Los maestros están abiertos a tus opiniones sobre lo que quieres aprender.

También, si tu pasión es el arte, ¿por qué no tomas una clase adicional? Si estudias lo que te interesa, puede ayudar tu autoestima y aumentar tu interés en otras materias. ¡Ojalá

que haya una escuela de bellas artes en Salcedo que puedas investigar!

Tus padres tiene razón. Es importante que no dejes el liceo. Por un lado, hay que tomar tiempo para adaptarte. Por otro lado, debes hacer todo lo que puedas para estar contenta con tus estudios. Dijiste que eras buena estudiante. Yo digo que todavía lo eres. ¡Suerte!

REPASO DE LA LECCIÓN: ACTIVIDAD 1 - LISTEN AND UNDERSTAND

Level 2 Textbook p. 386

TXT CD 8, Track 11

El director de la escuela quiere sacar las máquinas que venden dulces y refrescos. Decide si las oraciones que siguen son ciertas o falsas y corrige las falsas. Usa el diagrama Venn para organizar los puntos de vista.

Manolo: Es necesario que hagamos lo que queremos. No es necesario que los adultos nos digan qué tenemos que hacer.

Carolina: Por un lado estoy de acuerdo: es malo que nos digan siempre qué debemos hacer; pero por otro lado es malo que nosotros comamos y bebamos tanto azúcar. Es importante que haya comida saludable en la escuela y es importante que no sea tan fácil comprar dulces y postres.

Manolo: Sí, es importante que haya comidas saludables. Sin embargo, si queremos algo dulce, es bueno que lo podamos comprar. Somos jóvenes, pero no somos bebés. Es necesario que nosotros podamos tomar decisiones.

Carolina: Y es más fácil tomar buenas decisiones si tenemos buenas opciones. Por eso, es preferible que vendan sólo frutas, jugos y agua en las máquinas.

UNIDAD 7, LECCIÓN 1 WORKBOOK SCRIPTS WB CD 4

INTEGRACIÓN HABLAR

Level 2 Workbook p. 304

WB CD 4, Track 1

Escucha el mensaje que dejó Mateo para el periódico. Toma apuntes.

FUENTE 2

WB CD 4, Track 2

Mateo: Buenos días. Mi nombre es Mateo Segura y sé trabajar para un periódico escolar. En nuestro periódico escolar investigué, entrevisté a personas famosas y publiqué todo lo que escribí. A veces, escribía sobre cuestiones controversiales y por eso a veces los estudiantes no estaban de acuerdo con lo que yo publicaba. Sin embargo, me decían que yo escribía muy bien y que les gustaba mi punto de vista. Si les interesa entrevistarme, es preferible que me llamen por la tarde al 227-0525. Gracias.

INTEGRACIÓN ESCRIBIR

Level 2 Workbook p. 305

WB CD 4, Track 3

Escucha el mensaje que le dejó Abel Martínez a Nancy. Toma apuntes.

FUENTE 2

WB CD 4, Track 4

Abel: Buenos días, Nancy. Soy Abel. Te llamo porque puedo darte la entrevista que me pidió Genaro para el periódico escolar. Voy a estar en el hotel de la calle Palermo por dos semanas. Esta semana tengo mucho trabajo y, además, les voy a dar otras entrevistas a algunos periodistas de los periódicos de la ciudad. Por eso, me puedes entrevistar la próxima semana, antes de irme. Gracias.

ESCUCHAR A, ACTIVIDAD 1

Level 2 Workbook p. 306

WB CD 4, Track 5

Escucha a Ana y toma notas. Luego, lee cada oración y contesta **Cierto** o **Falso**.

Ana: Mi nombre es Ana y trabajo para el periódico escolar. Es necesario que yo les diga algo sobre mis amigos del periódico: todos los chicos que trabajan en el periódico son personas fantásticas. Ellos siempre entienden las opiniones de las otras personas. A veces, no están de acuerdo, pero eso no les importa. Para ellos es más importante que todos tengan la oportunidad de decir lo que piensan.

ESCUCHAR A, ACTIVIDAD 2

Level 2 Workbook p. 306

WB CD 4, Track 6

Escucha a César y toma notas. Luego, completa las oraciones con la palabra que corresponda entre paréntesis.

César: Mi nombre es César y soy el fotógrafo del periódico escolar. Tengo mucho trabajo porque Ana, la editora, dice que es importante que haga todo bien y rápidamente. Ella es muy inteligente y tiene buenas ideas. También piensa que la amistad es muy importante para todos. Por eso, todos los chicos del periódico trabajamos como una gran familia.

ESCUCHAR B, ACTIVIDAD 1

Level 2 Workbook p. 307

WB CD 4, Track 7

Escucha a Martín y toma notas. Une con flechas a las personas con lo que hacen para el periódico escolar.

Martín: Me llamo Martín y soy el editor del periódico de mi escuela. Para mí, el equipo del periódico escolar tiene personas muy buenas, cada uno en su actividad. Por ejemplo, Laura toma fotos muy buenas. Verónica escribe unos artículos muy interesantes para los estudiantes. Mauro hace las entrevistas y es muy simpático con la gente. Por eso, yo digo que este equipo es fantástico.

ESCUCHAR B, ACTIVIDAD 2

Level 2 Workbook p. 307

WB CD 4, Track 8

Escucha a Mauro y toma notas. Luego, completa las siguientes oraciones.

Mauro: Me llamo Mauro y soy periodista y escritor para el periódico escolar. Antes de escribir, es necesario que un escritor investigue la información que hay sobre el tópico. Un escritor no puede escribir una noticia o un artículo sin decir la verdad. A veces, escribo artículos que presentan mi opinión. Si la gente no está de acuerdo con

Audio Scripts

lo que digo, es bueno que publiquemos artículos para explicar sus opiniones.

ESCUCHAR C, ACTIVIDAD 1

Level 2 Workbook p. 308

WB CD 4, Track 9

Escucha a Graciela y toma notas. Luego, completa la siguiente tabla con la información que te pide.

Graciela: Me llamo Graciela y escribo artículos para un gran periódico de la ciudad. Empecé a escribir artículos en la escuela, cuando yo fui la editora del periódico escolar. Después estudié para ser periodista. Mis artículos son sobre muchas cosas. Escribo artículos sobre cómo vivir saludable para todas las personas que piensan en la salud. También escribo artículos sobre deportes para todos los aficionados a los distintos equipos. Escribo artículos sobre estilos de ropa para todos los que piensan en la moda. Y por fin escribo otros artículos sobre la comida para los que les gusta comer en restaurantes.

ESCUCHAR C, ACTIVIDAD 2

Level 2 Workbook p. 308

WB CD 4, Track 10

Escucha la conversación de Ernesto y Valentina. Toma notas. Luego, contesta a las siguientes preguntas con oraciones completas.

Ernesto: ¡Hola, Valentina!, ¿leíste el artículo que publica el periódico hoy sobre las dietas? Es una dieta de verduras, leche y huevos.

Valentina: Sí, Ernesto, lo leí. Se lo di a mi mamá que está buscando una dieta balanceada para mantenerse en forma. Ella trabaja mucho y casi no tiene tiempo para hacer ejercicios.

Ernesto: Es muy malo que la gente no haga ejercicios. Todos tenemos que hacer ejercicios para mantenernos saludables. ¿Tú mamá no hace nada de ejercicio?

Valentina: Sí, a veces va a caminar por el parque. Pero para ella es necesario encontrar una dieta saludable. También es preferible que pueda comer comidas ricas.

Ernesto: Sí, pero el artículo de la revista dice que es importante que las personas hagan dietas con ejercicios. Dile a tu mamá.

ASSESSMENT SCRIPTS
TEST CD 2

LESSON 1 TEST: ESCUCHAR

ACTIVIDAD A

Modified Assessment Book p. 242

On-level Assessment Book p. 313

Pre-AP Assessment Book p. 242

Test CD 2, Track 13

Escucha el siguiente audio. Luego, completa la actividad A.

Rosa: Buenos días, Pepe. Quisiera hacerle algunas preguntas sobre la amistad. Estoy escribiendo un artículo para nuestro periódico.

Pepe: Sí, ¡cómo no!

Rosa: ¿Qué es un amigo para ti?

Pepe: En mi opinión, un amigo no sólo es alguien que te da la mano cuando la necesitas, sino también alguien que te escucha y te comprende.

Rosa: ¿Tienes muchos amigos?

Pepe: Sabes, Rosa, yo conozco a muchas personas. Sin embargo, sólo tengo tres o cuatro muy buenos amigos.

Rosa: El otro día le escuché decir a alguien que un buen amigo es el que entra cuando todo el mundo sale.

Pepe: Estoy de acuerdo con esa persona. Un amigo está a tu lado en los momentos buenos y los momentos malos.

Rosa: Yo también estoy de acuerdo. Gracias, Pepe.

Pepe: De nada, Rosa.

ACTIVIDAD B

Modified Assessment Book p. 242

On-level Assessment Book p. 313

Pre-AP Assessment Book p. 242

Test CD 2, Track 14

Escucha el siguiente audio. Luego, completa la actividad B.

Irene: Es importante que hagas actividades escolares. ¿Qué haces después de las clases? ¿Participas en deportes? ¿Participas en las actividades de teatro de la escuela? Participar en las actividades escolares no sólo es bueno porque puedes encontrar nuevas amistades, sino también porque a las universidades les interesan los estudiantes que hacen actividades extras después de las clases. Si todavía no sabes qué quieres hacer, te invito a trabajar para nuestro periódico escolar que se llama *El quincenal*. Si sabes escribir y tomar fotos, te necesitamos. También necesitamos periodistas para hacer entrevistas. Nuestro próximo artículo va a ser sobre la presión de grupo. Ven y sé parte de las noticias. *El quincenal* te necesita.

HERITAGE LEARNER SCRIPTS
HL CDs 2 & 4

INTEGRACIÓN HABLAR

HL Workbook p. 306

HL CD 2, Track 17

Escucha el mensaje que Candy Salinas dejó en el celular de Juan Alberto. Puedes tomar notas mientras escuchas. Luego completa la actividad.

FUENTE 2

HL CD 2, Track 18

Alberto, me gustó mucho tu artículo de esta semana pero te estás poniendo muy serio. ¿No crees que también es importante poner en nuestro periódico una sección de chismes? Mira, a Sandra Rioja le gusta Pedrito, el haitiano que llegó la semana pasada. Judith, la hija del profe de matemáticas no pasó el examen sorpresa. Creo que los que trabajan en el periódico están queriendo sonar como adultos. Por favor, más de música, de tele, de deportes… Si yo fuera la editora…

INTEGRACIÓN ESCRIBIR

HL Workbook p. 307

HL CD 2, Track 19

Ahora vas a escuchar el mensaje que Lisa Carrasco, una estudiante de secundaria, dejó para el director de su escuela. Toma notas y luego completa la actividad.

FUENTE 2

HL CD 2, Track 20

Señor Mora, le dejo un mensaje porque ya sé que la escuela está cerrada hoy, pero los estudiantes del club de computación nos juntamos para ayudar con la limpieza del laboratorio. Mientras ayudábamos a la señorita Villena aprendimos que este año el laboratorio de computación no va a estar abierto en las tardes. La señorita Villena piensa que es por que no hay suficiente dinero para pagar a una persona que atienda el laboratorio como ella hizo el año pasado. Queremos sugerirle que recorte dinero de otros programas como el de atletismo o el de básquetbol porque, desde mi punto de vista, tener el laboratorio de computadoras abierto es más importante. ¿Qué puede hacer nuestro club para ayudar?

LESSON 1 TEST: ESCUCHAR

ACTIVIDAD A

HL Assessment Book p. 248

CD 4, Track 13

Rafael, un periodista, habla con Mario, un fotógrafo dominicano. Escucha lo que conversan y luego contesta las preguntas con oraciones completas.

Mario: No, hermano. Es preferible que no vayamos a Playa Dorada. Yo te voy a llevar a otra mejor: Cabarete.

Rafael: Pero, ¿no podríamos ir a las dos playas? En principio, quiero ir a Playa Dorada. Luego, tal vez te acompañe a Cabarete.

Mario: Parece que no confías en mí.

Rafael: Es necesario que tomes las fotos de Playa Dorada. No sólo quiero escribir sobre esa playa, sino que también es una petición del periódico para el que trabajo.

Mario: ¡Qué lástima! A mí me gusta tanto Cabarete…

Rafael: ¿Desde cuándo la conoces?

Mario: Hace tres años que paso allí las vacaciones y estoy fascinado por ese lugar. Me ilusioné con la idea de publicar algo sobre Cabarete. Por eso insistí tanto.

Rafael: Seguramente es una buena idea, pero no es mi punto de vista esta vez. La cuestión es que ya tengo previsto lo que voy a hacer. Pero mira, hagamos una cosa: hacemos las fotografías de Playa Dorada y, si terminamos, enseguida nos vamos a Cabarete.

Mario: ¿Quieres hacer dos reportajes?

Rafael: No, yo haré el mío y tu harás el tuyo. ¿Qué opinas?

Mario: De acuerdo, amigo. Totalmente de acuerdo.

ACTIVIDAD B

HL Assessment Book p. 248

CD 4, Track 14

Jenny y Alejandra hablan sobre su futuro. Escucha lo que dicen y luego completa su conversación con los parlamentos que faltan.

Alejandra: ¿Cómo podemos saber qué profesión elegir?

Jenny: Es importante que escuchemos a los padres y los maestros.

Alejandra: También ellos pueden equivocarse.

Jenny: Sí, de hecho así sucede. Mi papá opinaba que mi hermano debía ser médico.

Alejandra: ¿Y tu hermano? ¿Estaba de acuerdo?

Jenny: No, no sólo no estaba de acuerdo, sino que odiaba la medicina.

Alejandra: ¿Qué podemos hacer entonces?

Jenny: Creo que por un lado hay que oír las opiniones de todos.

Alejandra: ¿Y por otra parte?

Jenny: Por otro lado, es necesario que tomemos nuestra propia decisión.

Alejandra: Es decir, que nada es totalmente seguro.

Jenny: Así es. Siempre hay un riesgo.

Audio Scripts

PRESENTACIÓN DE VOCABULARIO

Level 2 Textbook pp. 390–391

TXT CD 8, Track 12

A. ¡Hola! Me llamo Lorena y mi apellido es Muñiz. Les quiero presentar algunos de mis parientes. Aquí hay una foto de mi hermana Cecilia con su esposo José. Se casaron el año pasado. Al lado de Cecilia están mis padres. ¡Qué orgullosos están! Ahora son los suegros de José y yo soy su cuñada. Es un hombre simpático y todos nos llevamos bien.

B. ¿Quieres ver como era yo de niña? Aquí hay una foto mía con mi padrino, tío Tomás y mi madrina, tía Yolanda. Son como padres para mí. Son muy generosos. Ellos me dieron mi pez, Inés, y mi pájaro, Pepito. Pepito es muy tímido y solo le gusta estar conmigo.

C. Aquí estoy con mis compañeras del equipo de fútbol. Son muy simpáticas y la entrenadora es muy sincera con nosotros: siempre nos dice la verdad. ¡Nos encanta jugar este deporte popular!

D. Me gustaría quedarme más tiempo para ver fotos con ustedes pero tengo que irme. Tengo una cita en el consultorio del dentista y luego tengo que ir al banco para sacar dinero y al correo para mandarle un regalo a mi prima. ¡Nos vemos!

¡A RESPONDER!

Level 2 Textbook p. 391

TXT CD 8, Track 13

Escucha los nombres e indica a la persona o las personas apropiadas en las fotos de la familia de Lorena.

1. la suegra de José

2. el cuñado de Lorena

3. la esposa del tío Tomás

4. el esposo de la mamá de Lorena

5. el novio de Cecilia

6. los padrinos de Lorena

7. la cuñada de José

8. la sobrina de la tía Yolanda

TELEHISTORIA ESCENA 1

Level 2 Textbook p. 393

TXT CD 8, Track 14

Lorena: ¡Por favor, mami! ¡Sólo diez minutos!

Madre: No puedo quedarme a hablar contigo. Primero, necesito ir al banco y al correo. Luego, tengo una cita con el doctor. Tengo que estar en el consultorio como a la una. Y después voy de compras con una amiga mía.

Lorena: Pero yo tengo que hacer la película. Si gano el premio, vas a estar muy orgullosa de mí, ¿no? Ahora, háblame sobre tu esposo. ¿Cómo es?

Madre: Es tu padre. ¡Pregúntale a él! Esta película tuya es sobre un periódico, ¿no?

Lorena: Ahora no. Ahora se llama «Mi vida en la República Dominicana» y es un documental sobre nuestra familia, nuestra historia y nuestros problemas.

Madre: Todos nuestros parientes son muy simpáticos y nos llevamos muy bien. No tenemos problemas.

Lorena: La gente dice que las mujeres no se llevan bien con sus suegras. ¿Discutes tú con tu suegra?

Madre: Claro que no. Tu abuela es una mujer muy sincera y muy generosa. Nos entendemos bien. Ahora me tengo que ir.

PRONUNCIACIÓN

Level 2 Textbook p. 396

TXT CD 8, Track 15

Los diptongos **ie** and **ue**

The combination of the weak vowel **i** or **u** with the strong vowel **e** forms one sound in a single syllable. This sound is called a diphthong. Listen and repeat.

pariente paciente bien suegro
bueno puedo

TELEHISTORIA ESCENA 2

Level 2 Textbook p. 398

TXT CD 8, Track 16

Tomás: Soy más viejo que el sol. Tus padres son mucho más jóvenes que yo. Tú sabes que tu madre es mi sobrina.

Lorena: Sí, ya sé, padrino. ¿Cómo era mi madre cuando era niña?

Tomás: ¿Tu madre? Tan impaciente como tú. Pero era muy contenta, muy popular. Le gustaba salir con muchachos más que estudiar.

Lorena: ¿Mi mamá? ¡Esto es mejor que una película!

Tomás: Tu padre era tímido, pero muy sincero, más sincero que los otros muchachos en la escuela. El novio de tu madre, ése era menos serio que tu padre …

Lorena: ¿El novio de mami? ¿Quién era?

Tomás: Alfonso, hombre, Alfonso… ¿Cuál era su apellido?

Madre: ¡Tomás! ¿Qué le estás diciendo a Lorena? Me voy a enojar. Eres peor que un niño. Y tú, ¡nada de películas sobre la familia!

ACTIVIDAD 10 - UN ANUNCIO

Level 2 Textbook p. 399

TXT CD 8, Track 17

Escribe los números del 1 al 6. Escucha el anuncio para Telefontástico. Luego, lee la información que sigue. Escribe **sí** si es correcta y **no** si no es correcta.

A: ¿Aló? ¿Aló? ¡¡¡Ay!!! ¿Qué pasa con este teléfono?

B: ¿Está usted cansado de tener problemas con su teléfono celular? ¡Escuche! Hay buenas noticias. Con el nuevo celular «Telefontástico», usted ya no se va a enojar con ese teléfono suyo. El «Telefontástico» tiene menos problemas que todos los otros teléfonos celulares. ¡El sonido es excelente! ¡Se lo juro!

A: Me encanta mi nuevo teléfono. Toma mejores fotos de personas y tiene conexiones más rápidas para Mensajero Instantáneo. Y tiene muy pocos problemas. Por eso es más popular que los otros teléfonos. No es tan pequeño como los otros teléfonos, pero es más bonito.

B: El «Telefontástico» es mucho mejor que los otros teléfonos, pero no cuesta demasiado. Es tan barato como los otros teléfonos similares. ¡Cómpreselo hoy!

TELEHISTORIA COMPLETA

Level 2 Textbook p. 403

TXT CD 8, Track 18

Escena 1–Resumen

Lorena decide hacer su documental sobre su familia. Quiere entrevistar a su madre para saber los secretos de la familia.

Escena 2–Resumen

Lorena entrevista a su padrino Tomás. Él le dice que hace muchos años su madre tenía un novio que se llamaba Alfonso. La madre de Lorena se enoja.

Escena 3

Lorena: Me llamo Lorena Muñiz. Y esta película es sobre los secretos más grandes de mi familia. Mi madre era la muchacha más popular del barrio y mi padre el muchacho más tímido. ¿Cómo se casaron? ¿Quién era el novio secreto de mi madre? Ahora tengo que saber más. Mi pez: ¿tiene secretos?

José: ¡Ésta es la mejor noticia de mi vida!

Audio Scripts

Cecilia: Sí, pero no se lo vamos a decir a nadie todavía. ¿Tú estás de acuerdo?

Lorena: Parece que mi hermana y mi cuñado tienen un secreto.

José: Está bien. Estoy de acuerdo.

Cecilia: Lo más difícil es no poder decirle nada a nuestra familia ahora.

Lorena: ¡Voy a tener un sobrino!

Cecilia: ¡Lorena! Lorena, ¡abre la puerta! ¿Lo escuchaste todo? Lorena, ¡me voy a enojar!

Lorena: Parece que esta familia tiene secretos interesantes. ¡Hay mucho más por conocer!

ACTIVIDAD 19 - INTEGRACIÓN
Level 2 Textbook p. 405
TXT CD 8, Track 19

Lucas y su novia hicieron una prueba de personalidad en una revista. Lee y escucha sus resultados y compara sus personalidades. ¿Piensas que se entienden bien?

FUENTE 2
TXT CD 8, Track 20

Listen and take notes.

¿Qué animal es la novia?

¿Cuáles son algunas características de su animal? ¿Le gustan las fiestas?

¿Para ella, cuál es la cosa más importante en una amistad?

Hola, Lucas, soy yo, Daly. ¿Ya terminaste la prueba? ¿Qué animal eres? Yo soy «El Ratón». Dice que soy el animal más inteligente de todos pero también el más tímido. Prefiero quedarme en casa que salir a las fiestas y no me gusta hablar mucho en clase. A veces estoy nerviosa y les tengo miedo a las personas menos tímidas que yo. ¿Crees que es cierto? Por un lado sí...

Bueno, también dice que soy una amiga muy buena y sincera. Siempre, cuando mis amigos necesitan algo, yo les ayudo. Y ésta es la cosa más importante en una amistad. ¿Estás de acuerdo? Bueno, llámame para decirme qué sacaste. Adiós.

LECTURA CULTURAL: LOS PADRINOS
Level 2 Textbook pp. 406–407
TXT CD 8, Track 21

En los países latinoamericanos existen dos tipos de padrinos: los padrinos de boda y los padrinos de bautizo.

En Paraguay, como en muchos otros países de Latinoamérica, cuando dos novios se casan, éstos escogen a un hombre y a una mujer como los padrinos para su boda. A diferencia de las bodas estadounidenses en que los novios generalmente escogen a sus mejores amigos o hermanos para ser los testigos, o *best man* y *maid of honor*,

en los países latinoamericanos, el padrino y la madrina son los testigos principales y casi siempre son una pareja casada. Normalmente uno de ellos es pariente o del novio o de la novia.

La función de los padrinos de boda no termina con la ceremonia de matrimonio. Los padrinos tienen un papel muy importante en la vida familiar. Comparten los momentos más importantes de la vida de los esposos.

Antes del nacimiento de un niño, muchos padres dominicanos, como en otras partes de Latinoamérica, escogen a los padrinos de su futuro hijo. Los padrinos pueden ser parientes o amigos de los padres. Muchas veces éstos son los padrinos de la boda, especialmente en el caso del primer hijo del matrimonio. Es en el momento del bautizo del niño cuando los padres y los padrinos se convierten en compadres.

Los padrinos sirven como segundos padres para el niño, o el ahijado. Si los padres no pueden continuar cuidando a su hijo, los compadres se hacen cargo de criarlo. Están presentes en muchas fiestas familiares y ocasiones importantes, como los cumpleaños y las graduaciones escolares.

Como vemos, el papel de los padrinos es muy especial, y la relación entre ellos y sus ahijados es una parte integral de la cultura latinoamericana.

REPASO DE LA LECCIÓN: ACTIVIDAD 1 - LISTEN AND UNDERSTAND
Level 2 Textbook p. 410
TXT CD 8, Track 22

Escucha las descripciones de varias personas en la familia de Margarita. ¿Puedes identificarlas? Escribe la letra que corresponde al nombre.

Hola, soy Margarita. Aquí ves a mi familia. ¿Puedes identificar a cada persona?

Jorge es el mayor.

Carlota es la menor.

Juan es tan alto como Daniel.

Laura está menos contenta que los otros.

Silvia es casi tan vieja como Jorge.

Daniel es más fuerte que Juan.

Tengo dos pájaros. Pique es más grande que Fufú.

COMPARACIÓN CULTURAL - UNA PERSONA IMPORTANTE PARA MÍ
Level 2 Textbook pp. 412–413
TXT CD 8, Track 23

Paraguay, Anahí.

¿Qué tal? Soy Anahí y vivo en Asunción. Una persona importante para mí es Silvia, mi compañera de baile. Las dos estudiamos danzas folklóricas paraguayas. Silvia comenzó a tomar clases cuando era muy pequeña y ahora es la mejor de

la clase. Ahora estamos aprendiendo los pasos de una polca paraguaya. Es un baile complicado y es necesario que practiquemos todos los días. Por suerte, Silvia me está ayudando. ¡Tiene mucha paciencia!

Guatemala, Eduardo.

¡Hola! Me llamo Eduardo y vivo en Guatemala. La persona más querida para mí es mi madrina. Nos entendemos muy bien. A ella no le gusta quedarse mucho en la casa, por eso ella y yo hacemos caminatas largas. Mi madrina no sólo es generosa sino muy inteligente también. Además, a ella le encanta cocinar, ¡y a mí me encanta comer!

República Dominicana, Pedro.

¡Saludos desde Santo Domingo! Me llamo Pedro. Una persona importante para mí es nuestro entrenador de béisbol. Se llama Luis García y entrena a los muchachos en la escuela. Es una persona muy paciente y sincera, y juega muy bien. Dice que lo más importante en el deporte es divertirse mucho y llevarse bien con los compañeros de equipo.

REPASO INCLUSIVO: ACTIVIDAD 1 - LISTEN, UNDERSTAND, AND COMPARE
Level 2 Textbook p. 416
TXT CD 8, Track 24

Listen to this portion of a children's educational radio program in the Dominican Republic and then answer the following questions.

¡Buenos días, niños! Hoy vamos a hablar sobre los apellidos. Todos ustedes tienen apellidos, pero, ¿saben de dónde vienen? ¿Cuál es la historia de sus apellidos? Bueno, muchos de los niños en la República Dominicana tienen dos apellidos: el primero es de su padre y el segundo es de su madre. Por ejemplo, mi nombre es Luis Rodríguez Moreno.

Muchos apellidos terminan con los sonidos -ez, -iz o –az. Estas letras al final quieren decir «hijo de». Mi primer apellido, Rodríguez, termina con las letras -ez y quiere decir «hijo de Rodrigo». Escuchen estos apellidos. Martínez, Sánchez. «Martínez» quiere decir «hijo de Martín» y «Sánchez» es «hijo de Sancho».

Mi segundo apellido, Moreno, es una palabra que describe el pelo castaño. En el pasado, algunas personas tenían apellidos que eran descripciones. Unos ejemplos son Rubio y Hermoso.

Audio Scripts

Probablemente algunos de ustedes tienen un apellido que viene de un lugar o ciudad. Escuchen estos apellidos: Calle, Toledo. Algunos de los apellidos que representan un lugar empiezan con la palabra "de" como De la Costa y Del Campo.

Finalmente, otros apellidos vienen del trabajo del padre de una familia. Por ejemplo, «Panadero» puede ser el apellido de una persona que trabaja en una panadería. ¿Quieren saber más sobre sus apellidos? Pregúntenles a sus abuelos, ellos deben tener información.

WORKBOOK SCRIPTS
WB CD 4

INTEGRACIÓN HABLAR

Level 2 Workbook p. 327

WB CD 4, Track 11

Escucha el mensaje que la madre de María le dejó a su esposo en el teléfono celular. Toma apuntes.

FUENTE 2

WB CD 4, Track 12

¡Señor... Armando, no te vayas! Necesito hablar contigo. Yo sé que piensas que vengo a esta casa sólo para limpiar los pisos, pero no es verdad. La verdad es que... ¡soy tu suegra! Sí, Armando. Tu esposa es mi hija. Ella no lo sabe todavía porque hace más de veinte años que no me ve. Ahora, vine para ayudarla porque sé que tú eres el hombre menos sincero y menos generoso del mundo. Sé que te llevas muy bien con la madrina tuya que es... la mujer más peligrosa de Santo Domingo.

INTEGRACIÓN ESCRIBIR

Level 2 Workbook p. 328

WB CD 4, Track 13

Escucha el mensaje que le dejó la madre de Mónica en el teléfono de su casa. Toma apuntes.

FUENTE 2

WB CD 4, Track 14

Hola, Mónica. Hoy salgo tarde del trabajo; luego el padre tuyo me lleva a cenar. Por favor, ¿puedes hacer algunas cosas por mí? Por favor, véte al banco para sacar dinero y compra un regalo de cumpleaños para tu madrina en la tienda de la esquina. ¡Compra la blusa más bella de la tienda! Después, véte al correo y mándale el regalo. Gracias.

ESCUCHAR A, ACTIVIDAD 1

Level 2 Workbook p. 329

WB CD 4, Track 15

Escucha a Rafael y toma notas. Luego, marca con una cruz las oraciones que son ciertas sobre su familia.

Rafael: Estoy muy contento. Esta semana vienen mi hermano y mi cuñada a mi casa. Mi cuñada es la chica más divertida. Mi hermano y ella fueron novios por tres años y se casaron hace dos años. Me dijeron que tienen una buena noticia para mí... Todavía no tengo sobrinos y yo quiero sobrinos este año. Tal vez, ésa es la noticia.

ESCUCHAR A, ACTIVIDAD 2

Level 2 Workbook p. 329

WB CD 4, Track 16

Escucha a Carolina y toma notas. Luego, completa las oraciones con las palabras de la caja.

Carolina: Estoy organizando un viaje a otra ciudad. Voy a ver a mi cuñado, Rafael. Mi esposo Andrés y yo queremos mucho a Rafael. Andrés y su hermano se parecen mucho pero Rafael es más alto que mi esposo. Ahora, nosotros vamos a tener un niño y no queremos darle a Rafael una noticia tan importante por teléfono. Creo que mi hijo va a ser un niño con suerte por tener un tío como Rafael.

ESCUCHAR B, ACTIVIDAD 1

Level 2 Workbook p. 330

WB CD 4, Track 17

Escucha a Natalia y toma notas. Luego, subraya la palabra que completa cada oración.

Natalia: ¡Estoy muy nerviosa! La próxima semana me caso con mi novio, Santiago. Santiago y yo nos llevamos muy bien. Él también se lleva muy bien con mi familia, creo que esto es lo más importante. Santiago dice que su cuñado es también su mejor amigo y que sus suegros son los mejores suegros. También dice que mis sobrinos van a tener primos en poco tiempo.

ESCUCHAR B, ACTIVIDAD 2

Level 2 Workbook p. 330

WB CD 4, Track 18

Escucha a Santiago y toma notas. Luego, completa la tabla con la información que te pide.

Santiago: Estoy muy emocionado. La próxima semana voy a tener una familia nueva, la familia de mi esposa. Es que mi novia y yo nos casaremos el sábado. La madre de mi novia es tan alegre como su padre. El hermano de mi novia y su esposa son los más divertidos. La hermana de mi novia es algo impaciente pero es una persona fantástica. Los sobrinos de mi

novia, que ahora también son míos, son más simpáticos que los otros niños que conozco. ¡Tengo mucha suerte de tener esta familia!

ESCUCHAR C, ACTIVIDAD 1

Level 2 Workbook p. 331

WB CD 4, Track 19

Escucha a Lía. Primero, escribe el nombre de cada pariente. Luego, nota la relación que cada uno tiene con la persona indicada.

Lía: Mi hermano mayor tuvo una idea fantástica. El próximo mes organizó una fiesta para celebrar el cumpleaños de mi abuela Irma. Invitó a todos nuestros parientes, tanto a los que viven en esta ciudad como a los que viven en otras ciudades. Vamos a ser más de cincuenta personas. Viene mi tía Elena, la hermana mayor de mi papá, con su esposo Luis y sus dos hijos. También viene el otro hermano de mi papá, Juan Carlos. Él no tiene esposa ni hijos. También vienen primos de mi papá con sus familias.

ESCUCHAR C, ACTIVIDAD 2

Level 2 Workbook p. 331

WB CD 4, Track 20

Escucha a Juan Carlos y toma notas. Luego, contesta las siguientes preguntas con oraciones completas.

Juan Carlos: El próximo mes es el cumpleaños de mi madre y mi sobrino organizó una fiesta muy grande. Mi madre tiene más de cincuenta parientes y creo que van todos a la fiesta. Yo quiero ir con mi novia y presentársela a todos. Yo nunca tuve novia y nadie sabe que ahora tengo novia. Va a ser una sorpresa. Mi novia se llama Inés y es la chica más simpática. Por eso, creo que se va a llevar bien con todos. Es más inteligente y linda que las otras chicas que conocí.

ASSESSMENT SCRIPTS
TEST CD 2

LESSON 2 TEST: ESCUCHAR

ACTIVIDAD A

Modified Assessment Book p. 254

On-level Assessment Book p. 330

Pre-AP Assessment Book p. 254

TEST CD 2, Track 15

Escucha el siguiente audio. Luego, completa la actividad A.

Rosa: Mamá, para el periódico de la escuela, estamos escribiendo artículos sobre la relación entre los miembros de la familia en nuestra comunidad. ¿Puedo hacerte algunas preguntas?

Audio Scripts

Madre: ¡Claro que sí! ¿Qué quieres saber?

Rosa: ¿Te llevas bien con la familia de papá?

Madre: Nos llevamos muy bien. A veces no estamos de acuerdo en algo, pero es normal. Pienso que no tenemos problemas porque somos sinceros entre nosotros y nos escuchamos.

Rosa: ¿Con quién discutes tú más, con tu suegra, es decir, mi abuela; o con tu suegro, es decir, mi abuelo?

Madre: Sabes, es interesante. Discuto más con mi suegro que con mi suegra. Él es un poco impaciente. Sin embargo, mi suegra es más paciente. Ella es como yo y por eso nos entendemos muy bien.

Rosa: Entonces, lo que una familia necesita para no llevarse mal es ser sincero, escucharse y ser paciente.

Madre: Tienes razón.

ACTIVIDAD B

Modified Assessment Book p. 254

On-level Assessment Book p. 330

Pre-AP Assessment Book p. 254

TEST CD 2, Track 16

Escucha el siguiente audio. Luego, completa la actividad B.

Rosa: Papá, quisiera hacerte unas preguntas sobre la relación entre tú y mamá. Es para el periódico de mi escuela. ¿Tienes un minuto, por favor?

Padre: Sí, sólo tengo cinco minutos; necesito ir al banco. ¿Qué quieres saber?

Rosa: ¿Discuten tú y mamá? Yo nunca los veo discutir.

Padre: Sí, hija, discutimos — especialmente cuando no estamos de acuerdo en algo que tiene que ver con ustedes, nuestros hijos.

Rosa: ¿Discuten ahora más que cuando eran novios?

Padre: ¡Claro que sí!

Rosa: ¿Por qué?

Padre: Porque cuando se tiene una familia hay más problemas. Nosotros discutimos y nos enojamos, a veces, pero siempre terminamos bien porque somos sinceros.

Rosa: Gracias, papá. Hasta luego.

UNIT 7 TEST: ESCUCHAR

ACTIVIDAD A

Modified Assessment Book p. 266

On-level Assessment Book p. 342

Pre-AP Assessment Book p. 266

TEST CD 2, Track 17

Escucha el siguiente audio. Luego, completa la actividad A.

Quico: ¿Cómo son tus compañeras del equipo de fútbol, Rosa?

Rosa: Son muy simpáticas y todas nos llevamos muy bien.

Quico: Dicen que la entrenadora es muy buena. ¿Es verdad?

Rosa: Ella es fabulosa. No sólo es sincera, sino también es paciente. Nunca se enoja y está muy orgullosa de nosotras. Por eso estamos ganando.

Quico: No es sólo por eso; ustedes son muy buenas jugadoras también.

Rosa: Gracias, Quico. Oye, ¿te quedas para ver el juego esta tarde?

Quico: Lo siento, pero tengo una cita con el dentista. Tengo que estar en su consultorio a las tres de la tarde. Pero Roberto va a estar aquí para tomar fotos. Javier también viene. Él va a escribir un artículo.

Rosa: Es necesario que ganemos este partido.

Quico: Ojalá que lo ganen. ¡Buena suerte!

Rosas: Gracias, Quico.

ACTIVIDAD B

Modified Assessment Book p. 266

On-level Assessment Book p. 342

Pre-AP Assessment Book p. 266

TEST CD 2, Track 18

Escucha el siguiente audio. Luego, completa la actividad B.

Irene: Luis, no estoy de acuerdo con esto. No es posible publicar este artículo tuyo sin tener el punto de vista del profesor García. Es necesario que él presente su opinión.

Luis: Estoy de acuerdo, Irene, pero él no quiere tener una entrevista conmigo. Dice que él y yo no nos entendemos bien. También dice que yo no voy a ser sincero al explicar su situación. Tal vez es porque discutíamos a veces cuando yo estaba en su clase; es un hombre impaciente.

Irene: ¡Sí, tan impaciente como tú, Luis! Bueno, vamos a hacer esto: Yo lo entrevisto y escribo el artículo. Es importante que toda la escuela sepa lo que pasó, y lo más importante es que publiquemos un artículo balanceado con todos los puntos de vista.

HERITAGE LEARNER SCRIPTS
HL CDs 2 & 4

INTEGRACIÓN HABLAR

Level 2 HL Workbook p. 329

HL CD 2, Track 21

Escucha el mensaje que Maya Viezcas dejó para responder al anuncio. Puedes tomar notas mientras escuchas. Luego completa la actividad.

FUENTE 2

HL CD 2, Track 22

Hola, soy Mayra Viezcas, de San Pedro de Macorís. Stacy, ya hemos intercambiado un par de mails pero quería hablarte personalmente porque creo que tenemos muchas cosas de qué hablar. El nombre de mi papá es Gustavo y sí, está vivo y recuerda a su hermano Héctor. Dice que él estaba muy niño cuando Héctor se mudó a Estados Unidos pero recuerda a mi abuela hablar mucho de él. ¿Llegó a ser el actor que quería?… Yo soy médica, una persona muy ocupada pero paciente. Háblame para hacer una cita. La semana próxima viajo a Nueva York para una conferencia. Mira, este es mi número de teléfono celular…

INTEGRACIÓN ESCRIBIR

Level 2 HL Workbook p. 330

HL CD 2, Track 23

Escucha el mensaje de Marcela, la tía de Jorge. Toma apuntes y completa la actividad.

FUENTE 2

HL CD 2, Track 24

Jorgito, sobrino, ya leí lo que escribiste en tu bitácora y me gustó mucho. Sólo que te equivocas al decir que tu mamá y yo planeamos la sorpresa para tu bisabuelo. Fue tu padrino Genaro el que hizo la colecta entre todos para regalarle la cama ortopédica. Creo que tu padrino se va a poner muy triste si no le das crédito por el esfuerzo, ya sabes que él es muy orgulloso. Ah, tengo un favor que pedirte para tu tía abuela Gertrudis. Por favor, como ella no tiene computadora ni sabe mucho de esas nuevas cosas, por qué no la llamas y le cuentas lo que pasó en la reunión. Ella tiene muchas ganas de oírte.

LESSON 2 TEST: ESCUCHAR

ACTIVIDAD A

HL Assessment Book p. 260

HL CD 4, Track 15

Escucha la conversación entre Beatriz, Nidia, y Beto. Luego contesta las preguntas con oraciones completas.

Beatriz: Hola, Beto. Te presento a mi cuñada Nidia.

Beto: Hola, Nidia. No sabía que tuvieras una cuñada, Beatriz.

Beatriz: Es la esposa de mi hermano mayor: Francisco.

Beto: ¡Claro! Lo recuerdo bien. Mucho gusto en conocerte, Nidia.

Nidia: Hola, Beto.

Beatriz: Nidia y Francisco viven en otra ciudad, pero nos visitan por unos días.

Audio Scripts

Beto: Bienvenida, Nidia. ¿Es tuyo este perrito?

Nidia: Sí, es mi mascota. Uno más de la familia.

Beto: Es encantador. ¿Cómo se llama?

Nidia: Se llama Tuma y es el mejor y el más juguetón de los cockers.

Beatriz: Por cierto, Beto… Debemos llevar a Tuma a un veterinario. ¿Conoces alguno en esta ciudad?

Beto: ¡Seguro! Conozco al mejor. Es el suegro de mi hermana Miriam.

Beatriz: Ah, ¿tu hermana se casó?

Beto: Sí, se casó con Enrique Suárez, así que ahora el doctor Pedro Suárez es su suegro.

Beatriz: ¡Qué bien! ¿Hay que pedirle una cita?

Beto: No, no es necesario. Puedes llevar a Tuma enseguida. ¿Está enfermo?

Nidia: No, por suerte. Sólo hay que controlar sus vacunas.

Beto: Puedo acompañarlas. Debo recoger a mi mamá cerca del consultorio.

Nidia: ¡Magnífico! Vamos, Tuma.

ACTIVIDAD B

HL Assessment Book p. 260

HL CD 4, Track 16

Escucha la conversación entre Sara y Benilde en una tienda de electrodomésticos. Luego completa el diálogo con los parlamentos que faltan.

Benilde: ¿Vas a comprar una batidora? Pero ya tienes una.

Sara: Sí. Tengo una, pero quiero regalarle ésta a mi madrina.

Benilde: ¿Es su cumpleaños?

Sara: Sí, mañana es su cumpleaños y quiero hacerle el mejor regalo posible.

Benilde: Pero éste es un modelo viejo.

Sara: Bueno, entonces le compraré este modelo más nuevo.

Benilde: Ah, sí ésa es mejor pero, ¡es mucho más cara!

Sara: Tú me conoces. Soy una chica generosa.

Benilde: Bueno, me parece que escogiste bien.

Sara: Sí, estoy orgullosa de mi regalo.

UNIT 7 TEST: ESCUCHAR

ACTIVIDAD A

HL Assessment Book p. 272

HL CD 4, Track 17

Escucha la conversación entre Mario y su amiga Amanda que lo visita por la tarde. Luego contesta las preguntas.

Amanda: ¡Mario, Marioooo! ¿Dónde estás?

Mario: ¡Aquí! Oye, Amanda, ¿por qué siempre hablas tan fuerte por las noches? Vas a despertar a mi sobrina y a los otros niños.

Amanda: Ay, Mario, es sólo un momento, no te enojes conmigo. Es importante que me oigas primero.

Mario: A ver, a ver, dime qué deseas. Sin embargo, es preferible que sea importante, porque estoy leyendo un artículo muy interesante en el periódico. Es de un periodista que investigó la vida de un fotógrafo famoso y ahora va a publicar un libro.

Amanda: ¿Sí? ¡Qué interesante! ¿Cómo se llama el fotógrafo? ¿Era muy popular, era generoso, tímido, o sincero…?

Mario: No seas impaciente, Amanda. El fotógrafo se llamaba Man Ray.

Amanda: El rayo-hombre, ¡qué nombre más original!

Mario: Es bueno que hayas dicho eso. Ése no era su nombre de verdad. Estuve leyendo toda la información y se llamaba Emmanuel Radnitzky. Man Ray fue el nombre que su familia le dio cuando él tenía quince años.

Amanda: En mi opinión, es malo que nos pongan otro nombre a los quince años.

Mario: Bueno, ése es tu punto de vista. Pero lo más importante del artículo no es eso. También presenta algunas entrevistas que explican muy bien por qué Man Ray es uno de los fotógrafos más importantes del mundo y que describen cómo fue su vida.

Amanda: Mario, es bueno que los escritores escriban artículos así. Después quiero leerlo.

Mario: Bueno Amanda, dime, ¿qué era eso tan importante que querías decirme?

Amanda: ¡Ay, Mario, la cuestión es que ahora ya no sé!

ACTIVIDAD B

HL Assessment Book p. 272

HL CD 4, Track 18

Escucha la conversación entre la escritora Cherry y su amigo Fernando. Luego completa el diálogo con las oraciones que faltan.

Fernando: Hola Cherry. Mi novia me dijo que escribiste un artículo en el periódico escolar sobre la vida en nuestra comunidad. Es bueno que lo hayas hecho. Eres una buena periodista. Siempre es necesario hablar sobre la cuestión de la amistad entre las personas.

Cherry: Sí, Fernando, no sólo es importante que todos sepamos cómo vivir juntos, sino también aprender a compartir y discutir nuestras opiniones cuando no estamos de acuerdo. ¡Y sin enojarnos! ¡Es muy importante poder entendernos bien!

Fernando: A mi madrina y a mi padrino también les gustó mucho el titular. ¡Y el fotógrafo hizo un trabajo estupendo! Pudimos ver muy bien que el hombre de la foto se llevaba muy bien con su suegra. Esa información es muy necesaria para describir mejor las noticias.

Cherry: Claro, el editor del periódico dice que es mejor que presentemos buenas fotos con cada artículo. Los fotógrafos tienen que ser muy pacientes para poder hacer una buena foto.

Fernando: Yo pienso que un buen periodista siempre debe escribir su punto de vista en los artículos y entrevistas. Sin embargo, es preferible que hable e investigue sobre la opinión de los demás. Estoy orgulloso de que seas mi amiga.

Cherry: Muchas gracias, Fernando, tu opinión es muy importante para mí.

Map/Culture Activities _República Dominicana_

1 La República Dominicana comparte una isla con Haití. ¿Cómo se llama esta isla?

_____

2 Responde a las siguientes preguntas con la información de tu libro.

1. ¿Qué océano se encuentra al este de la República Dominicana?

_____

2. ¿Qué famoso diseñador de modas es originario de este bello país?

_____

3. ¿Qué deportes acuáticos pueden disfrutarse en las playas de República Dominicana?

_____

4. ¿Qué podemos encontrar en la zona colonial de Santo Domingo?

_____

_____

UNIDAD 7

Map/Culture Activities

Unidad 7
Map/Culture Activities

84

¡Avancemos! 2
Unit Resource Book

Map/Culture Activities *República Dominicana*

4 En la página 363 de tu libro hay una descripción de los dominicanos. ¿Cómo es la gente donde tú vives? ¿En qué se parecen y en qué son diferentes a los dominicanos?

_____

_____

_____

_____

5 Juan Pablo Duarte es conocido por ser uno de los Padres de la Patria de la República Dominicana. ¿Qué crees que significa eso? ¿Quiénes son los Padres de los Estados Unidos?

_____

_____

_____

_____

6 Lee la información del segundo párrafo de la página 363. Explica por qué la República Dominicana es importante desde el punto de vista histórico.

_____

_____

_____

_____

Map/Culture Activities Answer Key

REPÚBLICA DOMINICANA
Page 84

1 Hispañola

2

1. el océano Atlántico

2. Oscar de la Renta

3. Answers will vary. Possible answers: el surf de vela, el esquí acuático, el buceo y la pesca submarina

4. Answers will vary. Possible answers: En la zona colonial de Santo Domingo podemos encontrar bellas casas y los edificios europeos más antiguos de Latinoamérica.

Page 85

4 Answers will vary.

5 Answers will vary but may include George Washington, James Madison, Thomas Jefferson, etc.

6 Answers will vary. Possible answers: La Isla de la República Dominicana fue el primer lugar de las Américas a donde llegaron los exploradores españoles. También cuenta con una zona colonial de gran importancia histórica.

Fine Art Activities

Remembranzas taínas, Charlie Simón

Contemporary Dominican artist Charlie Simón uses art as a way to bridge the gap between modern Hispaniola and its pre-columbian roots. His work often is described as mystical for its emphasis on both historical and invented symbols and for its palette of rich earth tones. *Remembranzas taínas* recalls drawings created by the taino people, inhabitants of the Caribbean prior to the European conquest.

Complete the following activities based on your interpretation of *Remembranzas taínas*, by Charlie Simón.

1. Who or what do you think is depicted in *Remembranzas taínas*: an ancestor, a god, a modern man or woman, a creature of another world or another entity entirely? Describe the identity of the subject and explain how you arrived at your conclusion.

   _____

   _____

   _____

   _____

2. Do you think artists should reference earlier works in their art, or do you think they should focus on creating purely original pieces? Give your point of view and defend your reasoning.

   _____

   _____

   _____

   _____

Remembranzas taínas (2003), Andrés "Charlie" Simón. Oil on canvas, 40″ x 60″. Courtesy of the artist and Samana Dreams and Quisqueya Consulting, Las Terranas, Samaná, República Dominicana.

Fine Art Activities

Taíno artifact

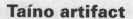

The word *taíno*, which means "good" in the Arawak language, does not refer to a specific ethnic group, but rather to a collection of tribes occupying the Caribbean islands before the European discovery of the Americas. The *taíno* civilization was attentive to numerous gods as well as to deceased ancestors who often were depicted in statues and engravings on rocks and cave walls. They were a uniquely artistic society, and many of their creations, including *zemís* (wood, shell or bone spirit idols of various sizes) remain today.

1. Study the teeth, earrings and carvings on the face of the figure. Who or what does this artifact represent? Is it male or female, god or human? Describe the identity of the subject and explain how you arrived at your conclusion.

    _____

    _____

    _____

    _____

    _____

    _____

2. If you were in charge of creating an artifact for study by generations of the distant future, what would you create? Describe your artifact and explain why you believe it would be of value to future generations.

    _____

    _____

    _____

    _____

Taíno artifact, AAAC/Topham/The Image Works.

Fine Art Activities

Family Reading, Belkis Ramírez

Few Dominican women have attained artistic recognition on the same level as Belkis Ramírez. She is known primarily for her woodcuts, a form of printmaking in which the artist carves, inks and transfers an image from a block of wood to a paper surface. Ramírez uses her position as a female Dominican artist to explore issues affecting her gender and society as a whole, including freedom of speech, ecological preservation and the role of women in Latin America. *Family Reading* is a woodcut originally created as a book illustration.

Complete the following activities about *Family Reading*, by Belkis Ramírez.

1. Ramírez uses art to express the things that are important to her. What message does she present in *Family Reading*? Interpret what you think the artist is trying to say in the print.

_____

_____

_____

_____

2. What community activity would you commemorate in a work of art, and what medium would you choose to create your work? Describe your own art piece, what the work would depict and the medium you would use. Explain your choices in complete sentences.

_____

_____

_____

_____

_____

_____

_____

Family Reading (2001). Woodcut. Belkis Ramírez.

Fine Art Activities

Sin título (Paisaje), Yoryi Morel

Yoryi Morel is a Dominican painter whose landscape paintings are considered some of the finest among Latin American artists. Although his work sometimes is compared to the French impressionist style, it is distinct in its ability to capture light, shadow, color and the essence of country life in the Dominican Republic. As in *Sin título (Paisaje),* many of his landscapes contain images of rustic homes and vibrant trees against a background of cloud-covered mountains.

Observe Yoryi Morel's Dominican landscape in *Sin título (Paisaje),* and complete the following activities.

1. What are the most prominent elements of this painting? Describe the scenery in the painting. What do you think it tells about the countryside in the Dominican Republic?

   _____

   _____

   _____

2. What is the artist's attitude toward his subject? Write what you think Morel thought and felt about this landscape as he painted. Describe the elements of the painting that inform your opinion.

   _____

   _____

   _____

   _____

Sin título (Paisaje) (1968), Yoryi Morel. 23.5″ x 29″. Courtesy of Colección Museo Bellapart, Santo Domingo, República Dominicana.

Fine Art Activities Answer Key

REMEMBRANZAS TAÍNAS, CHARLIE SIMÓN

1. Answers will vary.
2. Answers will vary. Students should be able to explain why their beliefs are valid.

TAÍNO ARTIFACT

1. Answers will vary. Students should make reference to specifics from the piece in their answer.
2. Answers will vary.

FAMILY READING, BELKIS RAMÍREZ

1. Answers will vary. Students will obviously cite reading as important, but also should note the concept of sharing ideas, activities, and time in community with others.
2. Answers will vary.

PAISAJE, 1960, YORYI MOREL

1. Answers will vary. The most prominent elements of the painting are the trees, the mountains, and the road. Students may infer that the countryside in the Dominican Republic is very beautiful.
2. Answers will vary. Students should be able to defend their statements with examples from the work.

Date: _____

Dear Family:

We are about to begin *Unidad 7* of the Level 2 *¡Avancemos!* program. It focuses on authentic culture and real-life communication using Spanish in the Dominican Republic. It practices reading, writing, listening, and speaking, and introduces students to culture typical of the Dominican Republic.

Through completing the activities, students will employ critical thinking skills as they compare the Spanish language and the culture of the Dominican Republic with their own community. They will also connect to other academic subjects, using their knowledge of Spanish to access new information. In this unit, students are learning to discuss school-related issues, state and respond to opinions, present logical and persuasive arguments, identify and explain relationships, compare personalities, attitudes, and appearances, and describe things and people. They are also learning about grammar—subjunctive with impersonal expressions, impersonal expressions with **haya, por** and **para,** the long form of possessive adjectives, comparatives, comparatives with **más de** and **menos de,** and superlatives.

Please feel free to call me with any questions or concerns you might have as your student practices reading, writing, listening, and speaking in Spanish.

Sincerely,

Family Involvement Activities

Trace your roots!

STEP 1

Gather your family together to talk about your family's history, background and important moments.

STEP 2

On a large piece of paper, begin drawing a family tree. Make two branches: one for your father's side, another for your mother's side. Write your name and the name of your siblings on the trunk.

STEP 3

On your mother's branch, write the names of her siblings, parents and grandparents. See how far back you can trace her family. Repeat this process on your father's branch.

STEP 4

While filling in names on your family tree, look for any names you don't recognize or haven't heard before. Ask your parents about these family members. Consider the importance of your own cultural heritage and relate this importance to that of the cultures that you are studying in your Spanish class.

STEP 5

Report your findings

How many generations could you trace back on your father's side? _____

How many generations could you trace back on your mother's side? _____

Absent Student Copymasters

Level 2 pp. 366–368

Presentación / Práctica de vocabulario

Materials Checklist

- [ ] Student text
- [ ] DVD 3
- [ ] Video Activities Copymasters
- [ ] TXT CD 8, tracks 1–2
- [ ] Did You Get It? Copymasters pages 1–2
- [ ] *Cuaderno* pages 295–297
- [ ] *Cuaderno para hispanohablantes* pages 295–298
- [ ] ClassZone.com

Steps to Follow

- [ ] Study the vocabulary of **Presentación de vocabulario** (pp. 366–367) by looking at the photos and reading the words and accompanying text. Watch the DVD and complete the Video Activities Copymasters.
- [ ] Practice the words of the **Más vocabulario** box on page 367. Read the words aloud. Write the words in your notebook.
- [ ] Do **Práctica de vocabulario** (p. 368). Complete **Actividades 1** and **2**.
- [ ] Check your comprehension by completing the **Para y piensa** box on page 368.
- [ ] Complete the Did You Get It? Copymasters, pages 1 and 2.
- [ ] Complete *Cuaderno* pages 295, 296 and 297.
- [ ] Complete *Cuaderno para hispanohablantes* pages 295, 296, 297 and 298.

If You Don't Understand...

- [ ] Watch the DVD in a quiet place. If you get lost, stop the DVD and go back.
- [ ] Listen to the CD in a quiet place. If you get lost, stop the CD and go back..
- [ ] Review the activity directions and study the model. Try to follow the model in your own answers.
- [ ] Write down any questions you have for your teacher.
- [ ] If the activity has parts for two people, practice both parts.
- [ ] Read your answers aloud to make sure they say what you wanted to say.
- [ ] Use the Interactive Flashcards to help you study the lesson.

Absent Student Copymasters

Vocabulario en contexto

Materials Checklist

- [ ] Student text
- [ ] DVD 3
- [ ] Video Activities Copymasters
- [ ] TXT CD 8, track 3
- [ ] Did You Get It? Copymasters pages 1, 3

Steps to Follow

- [ ] Look at the photo on page 369. What do you think is happening?
- [ ] Read **Cuando lees** and **Cuando escuchas** under *Strategies* (p. 369). Copy the questions.
- [ ] Try to answer the question in **Cuando lees** before watching the DVD.
- [ ] Watch DVD 3 without your book. Then watch the DVD again and complete the Video Activities Copymasters.
- [ ] Look at the dialogue in the book. Follow along in the book as you watch and listen to the DVD. Use the picture and context to help you understand the dialogue.
- [ ] Complete **Actividades 3** and **4** on page 370.
- [ ] Check your comprehension by completing the **Para y piensa** box on page 370.
- [ ] Complete the Did You Get It? Copymasters, pages 1 and 3.

If You Don't Understand...

- [ ] Watch the DVD in a quiet place. If you get lost, stop the DVD and replay the segment.
- [ ] Listen to the CD as many times as necessary.
- [ ] Read the activity directions again. Write the directions in your own words.
- [ ] Write the model on your paper. Try to follow the model in your own answers.
- [ ] Say what you want to write before you write it.
- [ ] If you have any questions, write them down to ask your teacher later.
- [ ] Practice both parts of any partner activities.
- [ ] Think about what you are trying to say when you write a sentence. After you write your sentence, check to make sure that it says what you wanted to say.

Absent Student Copymasters

Presentación / Práctica de gramática

Materials Checklist

☐ Student text

☐ *Cuaderno* pages 298–300

☐ *Cuaderno para hispanohablantes* pages 299–301

☐ TXT CD 8, track 4

☐ Did You Get It? Copymasters pages 4–5, 10

☐ ClassZone.com

Steps to Follow

☐ Study the subjunctive with impersonal expressions (p. 371).

☐ Do **Actividades 5** and **6** (p. 372).

☐ Listen to the **Pronunciación** section of TXT CD 8, track 4. Pronounce the words aloud.

☐ Do **Actividades 7** and **8** (p. 373).

☐ Complete *Cuaderno* pages 298, 299 and 300.
OR
Complete *Cuaderno para hispanohablantes* pages 299, 300 and 301.

☐ Check your comprehension by completing the **Para y piensa** box on page 373.

☐ Complete the Did You Get It? Copymasters, pages 4, 5, and 10.

If You Don't Understand...

☐ Do the activities that you understand first.

☐ For activities that require listening, listen to the CD in a quiet place. If you get lost, stop the CD and go back.

☐ Read the model a few times so you are certain that you understand what to do. Follow the model.

☐ If you need a partner to complete the activity, practice both parts.

☐ Think about what you are trying to say when you write a sentence. After you write your sentence, check to make sure that it says what you wanted to say.

☐ Use the Animated Grammar to help you understand.

☐ Use the Leveled Grammar Practice on the @Home Tutor.

Absent Student Copymasters

Gramática en contexto

Materials Checklist

☐ Student text

☐ DVD 3

☐ Video Activities Copymasters

☐ TXT CD 8, tracks 5–6

☐ Did You Get It? Copymasters pages 4, 6

Steps to Follow

☐ Look at the photo on page 374. What do you think is happening?

☐ Read **Cuando lees** and **Cuando escuchas** under *Strategies* (p. 374). Copy the questions.

☐ Read the script and try to understand the dialogue based on the picture. Try to answer the questions from **Cuando lees**.

☐ Watch DVD 3 without your book. Then watch the DVD again and complete the Video Activities Copymasters.

☐ Look at the dialogue in the book. Follow along in the book as you watch and listen to the DVD. Use the pictures and context to help you understand the dialogue.

☐ Study the words in the **También se dice** box.

☐ Complete **Actividades 9**, **10** and **11** on page 375.

☐ Check your comprehension by completing the **Para y piensa** box on page 375.

☐ Complete the Did You Get It? Copymasters, pages 4 and 6.

If You Don't Understand...

☐ Make sure you are in an area where you can concentrate.

☐ Review the section before completing the activities.

☐ Read the model a few times so you are certain that you understand what to do. Follow the model.

☐ Say what you want to write before you write it.

☐ If you have any questions, write them down for your teacher to answer later.

☐ Practice both parts of any partner activities.

☐ After you write a sentence, check to make sure that it says what you wanted to say.

Absent Student Copymasters

Presentación / Práctica de gramática

Materials Checklist

☐ Student text

☐ *Cuaderno* pages 301–303

☐ *Cuaderno para hispanohablantes* pages 302–305

☐ TXT CD 8

☐ Did You Get It? Copymasters pages 7–8, 11

☐ ClassZone.com

Steps to Follow

☐ Study **por** and **para** (p. 376).

☐ Do **Actividades 12**, **13** and **14** (pp. 377–378).

☐ Complete *Cuaderno* pages 301, 302 and 303.
OR
Complete *Cuaderno para hispanohablantes* pages 302, 303, 304 and 305.

☐ Check your comprehension by completing the **Para y piensa** box on page 378.

☐ Complete the Did You Get It? Copymasters, pages 7, 8, and 11.

If You Don't Understand...

☐ Listen to the CD as many times as you need to complete the activity.

☐ Reread the activity directions. Write the directions in your own words.

☐ Write the model on your paper. Try to follow the model in your own answers.

☐ Write down any questions you have for your teacher.

☐ If the activity has parts for two people, practice both parts.

☐ Think about what you are trying to say when you write a sentence. After you write your sentence, check to make sure that it says what you wanted to say.

☐ Use the Animated Grammar to help you understand.

☐ Use the Leveled Grammar Practice on the @Home Tutor.

Absent Student Copymasters

Todo junto

Materials Checklist

☐ Student text

☐ DVD 3

☐ Video Activities Copymasters

☐ *Cuaderno* pages 304–305

☐ *Cuaderno para hispanohablantes* pages 306–307

☐ TXT CD 8, tracks 7–9

☐ Did You Get It? Copymasters pages 7, 9

☐ WB CD 4, tracks 1–4

☐ HL CD 2, tracks 17–20

Steps to Follow

☐ Look at the photos on page 379. What do you think is happening?

☐ Read **Cuando lees** and **Cuando escuchas** under *Strategies* (p. 379). Copy the questions.

☐ Review the content of DVD 3.

☐ Read the script and try to understand the dialogue based on the picture. Try to answer the questions in **Cuando lees**.

☐ Watch DVD 3 without your book. Then watch the DVD again and complete the Video Activities Copymasters.

☐ Look at the dialogue in the book. Follow along as you watch and listen to the DVD. Use the pictures and context to help you understand the dialogue.

☐ Complete **Actividades 15**, **16**, **17**, **18** and **19** on pages 380 and 381.

☐ Complete *Cuaderno* pages 304 and 305.
OR
Complete *Cuaderno para hispanohablantes* pages 306 and 307.

☐ Check your comprehension by completing the **Para y piensa** box on page 381.

☐ Complete the Did You Get It? Copymasters, pages 7 and 9.

If You Don't Understand...

☐ Use the images to help you understand the video.

☐ Listen to the CD in a quiet place. If you get lost, stop the CD.

☐ Read everything aloud. Be sure that you understand what you are reading.

☐ Practice both parts of any partner activities.

Absent Student Copymasters

Lectura y Conexiones

Materials Checklist

☐ Student text

☐ TXT CD 8, track 10

Steps to Follow

☐ Read **Strategy: Leer** (p. 382).

☐ Read **¡Ayúdame, Paulina!** on pages 382 and 383.

☐ Follow along with the text on TXT CD 8, track 10.

☐ Check your comprehension by completing the **¿Comprendiste?** and **¿Y tú?** sections of **Para y piensa** box on page 383.

☐ Read about Oscar de la Renta in **El arte** on page 384.

☐ Write about Oscar de la Renta's humanitarian work in **Proyecto 1, Las ciencias sociales**.

☐ Find the cost of some of the designer's clothes in **Proyecto 2, Las matemáticas**.

☐ Analyze the name and slogan in **Proyecto 3, El lenguaje**.

If You Don't Understand...

☐ Listen to the CD as many times as necessary.

☐ Read the activity directions again. Write out the directions in your own words.

☐ Read everything aloud. Be sure that you understand what you are reading.

☐ If you have any questions, write them down so you can ask your teacher later.

☐ Read your answers out loud to make sure they say what you wanted to say.

Absent Student Copymasters

Repaso de la lección

Materials Checklist

☐ Student text

☐ *Cuaderno* pages 306–317

☐ *Cuaderno para hispanohablantes* pages 308–317

☐ TXT CD 8, track 11

☐ WB CD 4, tracks 5–10

Steps to Follow

☐ Read the bullet points under **¡Llegada!** on page 386.

☐ Complete **Actividades 1**, **2**, **3**, **4** and **5** (pp. 386–387).

☐ Complete *Cuaderno* pages 306, 307, and 308.

☐ Complete *Cuaderno* pages 309, 310, and 311.
OR
Complete *Cuaderno para hispanohablantes* pages 308, 309, and 310–311.

☐ Complete *Cuaderno* pages 312, 313, and 314.
OR
Complete *Cuaderno para hispanohablantes* pages 312, 313, and 314.

☐ Complete *Cuaderno* pages 315, 316, and 317.
OR
Complete *Cuaderno para hispanohablantes* pages 315, 316, and 317.

If You Don't Understand...

☐ If you are having trouble with an activity, complete the ones you can do first.

☐ For activities that require the CD, listen to the CD in a quiet place. If you get lost, stop the CD and go back.

☐ Read the activity directions again. Write the directions in your own words.

☐ Write the model on your paper. Try to follow the model in your own answers.

☐ Say what you want to write before you write it.

☐ Write down any questions you have for your teacher.

☐ Read your answers aloud to make sure they say what you wanted to say.

Absent Student Copymasters

Presentación / Práctica de vocabulario

Materials Checklist

- [ ] Student text
- [ ] DVD 3
- [ ] Video Activities Copymasters
- [ ] *Cuaderno* pages 318–320
- [ ] *Cuaderno para hispanohablantes* pages 318–321
- [ ] TXT CD 8, tracks 12–13
- [ ] Did You Get It? Copymasters pages 12–13
- [ ] ClassZone.com

Steps to Follow

- [ ] Study the vocabulary of **Presentación de vocabulario** (pp. 390–391) by looking at the photos and reading the words and accompanying text. Watch the DVD and complete the Video Activities Copymasters.

- [ ] Practice the words of the **Más vocabulario** box on page 391. Read the words aloud. Write the words in your notebook.

- [ ] Listen to the CD as you read the vocabulary words again. Repeat the words you hear.

- [ ] Do **Práctica de vocabulario** (p. 392). Complete **Actividades 1** and **2**.

- [ ] Complete *Cuaderno* pages 318, 319 and 320.
  OR
  Complete *Cuaderno para hispanohablantes* pages 318, 319, 320 and 321.

- [ ] Check your comprehension by completing the **Para y piensa** box on page 392.

- [ ] Complete the Did You Get It? Copymasters, pages 12 and 13.

If You Don't Understand...

- [ ] Watch the DVD in a quiet place. If you get lost, stop the DVD and go back.

- [ ] Listen to the CD as many times as necessary.

- [ ] Read the activity directions again. Write out the directions in your own words.

- [ ] Read aloud everything that you write. Be sure that you understand what you are reading.

- [ ] If you need a partner to complete the activity, practice both parts.

- [ ] Use the Interactive Flashcards to help you study the lesson.

Absent Student Copymasters

Vocabulario en contexto

Materials Checklist

☐ Student text

☐ DVD 3

☐ Video Activities Copymasters

☐ TXT CD 8, track 14

☐ Did You Get It? Copymasters pages 12, 14, 21

Steps to Follow

☐ Look at the photo on page 393. What do you think is happening?

☐ Read **Cuando lees** and **Cuando escuchas** under *Strategies* (p. 393). Copy the questions.

☐ Try to complete **Cuando lees** before watching the DVD.

☐ Watch DVD 3 without your book. Then watch the DVD again and complete the Video Activities Copymasters.

☐ Look at the dialogue in the book. Follow along in the book as you watch and listen to the DVD. Use the pictures and context to help you understand the dialogue.

☐ Complete **Actividades 3** and **4** on page 394.

☐ Check your comprehension by completing the **Para y piensa** box on page 394.

☐ Complete the Did You Get It? Copymasters, pages 12, 14, and 21.

If You Don't Understand...

☐ Use the images to help you understand the DVD.

☐ Listen to the CD in a quiet place. If you get lost, stop the CD and go back.

☐ Do the activities that you understand first.

☐ Say what you want to write before you write it.

☐ If you have any questions, write them down so you can ask your teacher later.

☐ Practice both parts of any partner activities.

☐ After you write a sentence, check to make sure that it says what you wanted to say.

Absent Student Copymasters

Presentación / Práctica de gramática

Materials Checklist

- [ ] Student text
- [ ] *Cuaderno* pages 321–323
- [ ] *Cuaderno para hispanohablantes* pages 322–324
- [ ] TXT CD 8, track 15
- [ ] Did You Get It? Copymasters pages 15–16, 22–23
- [ ] ClassZone.com

Steps to Follow

- [ ] Study comparatives on page 395.
- [ ] Do **Actividades 5** and **6** (p. 396).
- [ ] Listen to the **Pronunciación** section of TXT CD 8, track 15. Pronounce the words aloud.
- [ ] Do **Actividades 7** and **8** (p. 397).
- [ ] Complete *Cuaderno* pages 321, 322 and 323.
  OR
  Complete *Cuaderno para hispanohablantes* pages 322, 323 and 324.
- [ ] Check your comprehension by completing the **Para y piensa** box on page 397.
- [ ] Complete the Did You Get It? Copymasters, pages 15, 16, 22, and 23.

If You Don't Understand...

- [ ] For activities that require listening, listen to the CD in a quiet place. If you get lost, stop the CD and go back.
- [ ] If you are having trouble with an activity, complete the ones you can do first.
- [ ] Review the activity directions and study the model. Try to follow the model in your own answers.
- [ ] Write down any questions you have for your teacher.
- [ ] If you need a partner to complete the activity, practice both parts.
- [ ] Think about what you are trying to say when you write a sentence. After you write your sentence, check to make sure that it says what you wanted to say.
- [ ] Use the Animated Grammar to help you understand.
- [ ] Use the Leveled Grammar Practice on the @Home Tutor.

Absent Student Copymasters

Gramática en contexto

Materials Checklist

☐ Student text

☐ DVD 3

☐ Video Activities Copymasters

☐ TXT CD 8, tracks 16–17

☐ Did You Get It? Copymasters pages 15, 17

Steps to Follow

☐ Look at the photo on page 398. What do you think is happening?

☐ Read **Cuando lees** and **Cuando escuchas** under *Strategies* (p. 398). Copy the questions.

☐ Read the script and try to understand the dialogue based on the picture. Try to answer the questions in **Cuando lees**.

☐ Watch DVD 3 without your book. Then watch the DVD again and complete the Video Activities Copymasters.

☐ Look at the dialogue in the book. Follow along in the book as you watch and listen to the DVD. Use the pictures and context to help you understand the dialogue.

☐ Complete **Actividades 9** and **10** on page 399.

☐ Check your comprehension by completing the **Para y piensa** box on page 399.

☐ Complete the Did You Get It? Copymasters, pages 15 and 17.

If You Don't Understand...

☐ Make sure you are in an area where you can concentrate.

☐ Review the section before completing the activities.

☐ Read the model a few times so you are certain that you understand what to do. Follow the model.

☐ Read aloud everything that you write. Be sure that you understand what you are reading.

☐ If you have any questions, write them down for your teacher to answer later.

☐ Practice both parts of any partner activities.

Absent Student Copymasters

Presentación / Práctica de gramática

Materials Checklist

- ☐ Student text
- ☐ *Cuaderno* pages 324–326
- ☐ *Cuaderno para hispanohablantes* pages 325–328
- ☐ Did You Get It? Copymasters pages 18–19
- ☐ ClassZone.com

Steps to Follow

- ☐ Study superlatives on page 400.
- ☐ Do **Actividades 11**, **12**, **13**, **14**, and **15** (pp. 401–402).
- ☐ Complete *Cuaderno* pages 324, 325 and 326.
  OR
  Complete *Cuaderno para hispanohablantes* pages 325, 326, 327 and 328.
- ☐ Check your comprehension by completing the **Para y piensa** box on page 402.
- ☐ Complete the Did You Get It? Copymasters, pages 18 and 19.

If You Don't Understand...

- ☐ Reread the activity directions. Write the directions in your own words.
- ☐ Write the model on your paper. Try to follow the model in your own answers.
- ☐ Say what you want to write before you write it.
- ☐ Write down any questions you have for your teacher.
- ☐ If the activity has parts for two people, practice both parts.
- ☐ After you write a sentence, check to make sure that it says what you wanted to say.
- ☐ Use the Animated Grammar to help you understand.
- ☐ Use the Leveled Grammar Practice on the @Home Tutor.

Absent Student Copymasters

Todo junto

Materials Checklist

☐ Student text

☐ DVD 3

☐ Video Activities Copymasters

☐ *Cuaderno* pages 327–328

☐ *Cuaderno para hispanohablantes* pages 329–330

☐ TXT CD 8, tracks 18–20

☐ Did You Get It? Copymasters pages 18, 20

☐ WB CD 4, tracks 11–14

☐ HL CD 2, tracks 21–24

Steps to Follow

☐ Look at the photos on page 403. What do you think is happening?

☐ Read **Cuando lees** and **Cuando escuchas** under *Strategies* (p. 403). Copy the questions.

☐ Review the content of DVD 3.

☐ Read the script and try to understand the dialogue based on the pictures. Try to answer the question in **Cuando lees**.

☐ Watch DVD 3 without your book. Then watch the DVD again and complete the Video Activities Copymasters.

☐ Look at the dialogue in the book. Follow along as you watch and listen to the DVD. Use the pictures and context to help you understand the dialogue.

☐ Complete **Actividades 16**, **17**, **18**, **19** and **20** on pages 404 and 405.

☐ Complete *Cuaderno* pages 327 and 328.
OR
Complete *Cuaderno para hispanohablantes* pages 329 and 330.

☐ Check your comprehension by completing the **Para y piensa** box on page 405.

☐ Complete the Did You Get It? Copymasters, pages 18 and 20.

Absent Student Copymasters

Lectura cultural

Materials Checklist

☐ Student text

☐ TXT CD 8, track 21

Steps to Follow

☐ Read the strategy on page 406.

☐ Read **Los padrinos** on pages 406 and 407.

☐ Look at the photos and reread the text.

☐ Follow along with the text on TXT CD 8, track 21.

☐ Check your comprehension by completing the **¿Comprendiste?** and **¿Y tú?** sections of **Para y piensa** box on page 407.

If You Don't Understand...

☐ Listen to the CD as many times as necessary.

☐ Read the activity directions again. Write the directions in your own words.

☐ Read everything aloud. Be sure that you understand what you are reading.

☐ If you have any questions, write them down to ask your teacher later.

☐ Think about what you are trying to say when you write a sentence. After you write your sentence, check to make sure that it says what you wanted to say.

☐ Check your comprehension by completing the **Para y piensa** box on page 407.

Absent Student Copymasters

Proyectos culturales

Materials Checklist

☐ Student text

Steps to Follow

☐ Read **Comparación cultural** (p. 408).

☐ Match the sounds with the objects and animals in **Proyecto 1**.

☐ Practice the **Trabalenguas** in **Proyecto 2**.

☐ Complete **En tu comunidad**.

If You Don't Understand...

☐ Do the activity you understand first.

☐ Read the activity directions again. Write out the directions in your own words.

☐ If you have any questions, write them down so you can ask your teacher later.

Absent Student Copymasters

Repaso de la lección

Materials Checklist

☐ Student text

☐ *Cuaderno* pages 329–340

☐ *Cuaderno para hispanohablantes* pages 331–340

☐ TXT CD 8, track 22

☐ WB CD 4, tracks 15–20

Steps to Follow

☐ Read the bullet points under **¡Llegada!** on page 410.

☐ Complete **Actividades 1**, **2**, **3**, **4** and **5** (pp. 410–411).

☐ Complete *Cuaderno* pages 329, 330, and 331.

☐ Complete *Cuaderno* pages 332, 333, and 334.
OR
Complete *Cuaderno para hispanohablantes* pages 331, 332, and 333–334.

☐ Complete *Cuaderno* pages 335, 336, and 337.
OR
Complete *Cuaderno para hispanohablantes* pages 335, 336, and 337.

☐ Complete *Cuaderno* pages 338, 339, and 340.
OR
Complete *Cuaderno para hispanohablantes* pages 338, 339, and 340.

If You Don't Understand...

☐ For activities that require the CD, listen to the CD in a quiet place. If you get lost, stop the CD and go back.

☐ Review the activity directions and study the model. Try to follow the model in your own answers.

☐ Read aloud everything that you write. Be sure that you understand what you are reading.

☐ If you have any questions, write them down for your teacher to answer later.

☐ Read your answers aloud to make sure they say what you wanted to say.

Absent Student Copymasters

Comparación cultural

Materials Checklist

- [ ] Student text
- [ ] *Cuaderno* pages 341–343
- [ ] *Cuaderno para hispanohablantes* pages 341–343
- [ ] TXT CD 8, track 23

Steps to Follow

- [ ] Look at the photos and listen to TXT CD 8, track 23 as you read the text of **Mi persona favorita** on pages 412 and 4113.
- [ ] Follow steps 1 and 2 under **Strategy: Escribir**.
- [ ] Complete **Compara con tu mundo** on page 412.
- [ ] Complete *Cuaderno* pages 341, 342 and 343.
  OR
  Complete *Cuaderno para hispanohablantes* pages 341, 342 and 343.

If You Don't Understand...

- [ ] Listen to the CD as many times as necessary.
- [ ] Read the activity directions again. Write the directions in your own words.
- [ ] Read everything aloud. Be sure that you understand what you are reading.
- [ ] Write down any questions you have for your teacher.
- [ ] Think about what you are trying to say when you write a sentence. After you write your sentence, check to make sure that it says what you wanted to say.

Absent Student Copymasters

Repaso inclusivo

Materials Checklist

☐ Student text

☐ TXT CD 8, track 24

Steps to Follow

☐ Go over the Options for Review, **Actividades 1, 2, 3, 4, 5, 6** and **7** (pp. 416–417).

☐ Listen to TXT CD 8, track 24 for **Actividad 1** on page 416. Answer the questions.

☐ Complete **Actividad 3** on page 416.

☐ Write for a celebrity magazine in **Actividad 4** on page 416.

☐ Enter a contest to win a pet for **Actividad 7** on page 417.

If You Don't Understand...

☐ Do the activities you understand first.

☐ Listen to the CD as many times as you need to complete **Actividad 1**.

☐ Read the activity directions again. Write out the directions in your own words.

☐ Say what you want to write before you write it.

☐ If you have any questions, write them down to ask your teacher later.

☐ Practice both parts of any partner activities.

☐ After you write a sentence, check to make sure that it says what you wanted to say.